EL PROPÓSITO SAGRADO DE SER HUMANOS

EL PROPÓSITO SAGRADO DE SER HUMANOS

UN VIAJE DE SANACIÓN A TRAVÉS DE LOS DOCE PRINCIPIOS DE PLENITUD

JACQUELYN SMALL

 **Neo Person**

Título original: *The Sacred Purpose of Being Human*

Traducción: Carlos Ossés

Diseño de cubierta: Rafael Soria

© 2005, JACQUELYN SMALL
Editado por acuerdo con Health Communications, Inc.
Deerfield Beach, FL (EE.UU.)

De la presente edición en castellano:
© Neo Person Ediciones, 2006
   Alquimia, 6 - 28933 Móstoles (Madrid) - España
   Tels.: 91 614 53 46 - 91 614 58 49
   Fax: 91 618 40 12
   www.alfaomega.es

Primera edición: mayo de 2008

Depósito legal: M. 24.336-2008
I.S.B.N.: 978-84-95973-45-0

Impreso en España por: Artes Gráficas COFÁS, S.A. - Móstoles (Madrid)

ÍNDICE

AGRADECIMIENTOS

A CARL GUSTAV JUNG, Roberto Assagioli, Sri Aurobindo y al maestro tibetano Djwhal Khul, mis maestros supremos y mi principal fuente de inspiración..., quienes sin su extraordinario entendimiento de la psique humana nunca habría podido escribir este libro.

A Peter Vegso y Gary Seidler, de Health Communications..., por creer en mí.

A mi editora y «copiloto» Penelope Love..., que aportó su entusiasmo, integridad y claridad cristalina a la redacción de este libro.

A Brenda Shea, mi «brazo derecho» en el conocimiento y aplicación del Proceso Eupsychia, nuestro programa de entrenamiento y sanación psicoespiritual a nivel nacional..., cuya dedicación y profundo entendimiento de mi persona y de esta obra hizo que fuera posible su creación.

A mi personal y a mis estudiantes del Instituto Eupsychia..., cuya disposición a hacer el trabajo interior, y su ayuda para poder guiarlo, me han proporcionado un laboratorio viviente para un estudio delicioso y práctico del Yo.

A mi familia, a todos vosotros..., por vuestra comprensión y vuestro apoyo a la obra de mi vida. Y, especialmente, a mi nieta de tres años, Margaret Jacquelyn, que me enseña a diario, con tanta inocencia, la emoción que supone ser humanos.

PRÓLOGO

Durante la formación espiritual que llevé a cabo hace años, descubrí las palabras del historiador metafísico inglés Gareth Knight, que hicieron que todo tuviera sentido acerca de quiénes somos y por qué estamos aquí. Knight afirmó, literalmente, que la negación a bajar a la Tierra es la causa de toda la patología espiritual y la raíz de todo el malestar, de la ignorancia y de eso que llamamos «pecado». «Es un rechazo hacia la obra de nuestro Padre que está en los cielos», declaró, explicando que hasta que la existencia física no se vea y se considere por voluntad propia como algo sagrado, nunca seremos capaces de cumplir con el objetivo que se nos ha encomendado aquí. Por tanto, aunque sabemos que hay una serie de factores espirituales que subyacen a todo lo que se ha creado, nunca debemos utilizar este conocimiento para impedir que estemos plenamente integrados en este mundo o para hacer que veamos la vida humana como algo que es indigno o que es, de alguna manera, impropio. Hacer esto es una violación del sagrado objetivo que nos ha traído hasta aquí[1].

Obviamente, Dios creó al reino humano. Por tanto, se supone que somos seres humanos. Mientras estamos en la Tierra, estamos aquí para considerarnos plenamente como seres espirituales que viven dentro de cuerpos humanos, conscientes en todo momento de que nuestro objetivo es aportar espiritualidad a todos nuestros actos humanos. Dios *espiritualiza la materia;* nosotros, como embajadores de Dios en la Tierra, estamos aquí para *materializar el espíritu.* Ése es el sagrado objetivo que hemos adquirido tras haber adoptado la condición humana. Y aunque este planeta se encuentra sumido en un trágico estado de caos y en un profundo dolor, tenemos que aferrarnos a ese objetivo, sin importar lo que ocurra en él.

Tal vez, mientras trabajamos en el desarrollo de nuestra condición humana, nos hemos aferrado al proceso humano y no somos capaces de recordar la manera de seguir avanzando. Nos dejamos llevar con facilidad por una conducta inconsciente que nos lleva hacia abajo en lugar de hacer que vayamos hacia arriba. No tengo la menor duda de que algunas veces yo me comporto así. Sin embargo, en lo más profundo de nuestro corazón, todos sabemos que hay algo de misterioso valor en el propio acto de ser humano. Aunque vemos que aquí hay tanto sufrimiento, sin lugar a dudas no debemos ser considerados como un error de Dios. Por tanto, ¿cuál es la causa de tanto odio, dolor y caos enfrentado que tenemos aquí? ¿Por qué razón tenemos tantos problemas para amarnos los unos a los otros y crear un mundo en paz?

EL CUERPO EMOCIONAL DE LA HUMANIDAD NECESITA LA SANACIÓN

Casi todos los días escucho los testimonios de personas que se sienten profundamente atormentadas por algunos de los condicionamientos que implican vivir en este mundo tan complejo y, a menudo, cruel: tratan de recuperarse de la desilusión, de la traición, del dolor, de las adicciones o de la pérdida de sentido y de espíritu. Y he visto con claridad meridiana que cuando las personas padecen un sentimiento de culpabilidad, de vergüenza o de pérdida de esperanza por haber cometido un grave error, el sentimiento que subyace es que ser humano es un error. Con mucha frecuencia, existe una importante dicotomía dentro de ellos entre sentirse bien o mal, salvados o condenados, y tienen un concepto equivocado de que, para ser espirituales, deberíamos dejar estos cuerpos humanos impuros, elevarnos por encima de todas las cosas y entrar en la luz. En toda esta confusión, resulta sencillo perder la pasión o el objetivo para seguir viviendo. Me da la sensación de que, a medida que la humanidad ha avanzado en su viaje a través del tiempo, hemos ido acumulando cada vez más «residuos» emocionales que nunca se han afrontado, se han analizado conscientemente y se han sanado. Nuestra tendencia, por tanto, es a proyectar todas esas heridas y esos desequilibrios emocionales hacia los demás, o bien sentirnos desesperanzados, llenos de vergüenza, de culpa y faltos de confianza en nosotros mismos.

Las emociones negativas se reproducen por sí mismas, creando cada vez más miseria y falta de entendimiento. Cada vez que nuestra vida comienza a desviarse de su curso, tenemos la costumbre de pasar de un extremo a otro en nuestra naturaleza emocional. Toda aflicción humana se puede considerar como una forma de tener «muy poco» o «mucho» de algo que desequilibra nuestra vida emocional. Nos mostramos vacilantes, pasando de una placidez emocional a un anhelo excesivo; de evitar mantener relaciones o relaciones sexuales a sentir obsesiones pasionales o sexuales; de tener una rigidez mental a sentirnos excesivamente estimulados; y a ascender a los extremos del fanatismo o del vacío espiritual. A través de estos desequilibrios emocionales llegamos verdaderamente a crear «argumentos» basados en el modo en el que nos sentimos. Como terapeuta, me he dado cuenta de que las personas pueden incluso llegar a convertirse en adictas a su propio sufrimiento y, de manera inconsciente, pueden empezar a crear cada vez más sufrimiento.

Sin embargo, voy a daros una buena noticia. La ciencia está empezando a darse cuenta de la importancia que tiene nuestra necesidad de sentir felicidad emocional, incluso para nuestra salud física. Las investigaciones en el campo de la medicina que se ocupa de la mente/cuerpo actualmente se dirigen hacia el modo en el que acumulamos las emociones reprimidas en nuestra red neuroquímica, una costumbre que puede llegar a volverse en una adicción. También están descubriendo que el cerebro no es capaz de establecer la diferencia entre un recuerdo y un hecho real aquí y ahora, por lo que se refiere al modo en el que procesa la información. Por tanto, los recuerdos que se acumulan en nuestro cuerpo/mente se convierten en el estímulo para que las reacciones emocionales adictivas se manifiesten de manera espontánea. Nuestras emociones, ahora lo sabemos, son la fuerza impulsora que guían nuestro comportamiento y las decisiones que tomamos[2].

Estas reacciones que proceden de las emociones que están sin procesar son claros indicios de que todavía seguimos viviendo parcialmente en el pasado. Como consecuencia de ello, nuestra vida emocional presente estará contaminada cada vez que se produzca una superposición entre una experiencia presente y un recuerdo procedente de un momento anterior de nuestra vida. Las emociones inconscientes y distorsionadas deben volverse conscientes para que se produzca una sanación estable y para que podamos despertar a la verdad. Muchas veces escucho a la gente decir que están buscando desesperadamente la manera de despojarse de su pasado y de no verse atormentados más por los viejos problemas que todavía no se han sanado.

Cuando somos capaces de vaciar nuestros cuerpos emocionales nos convertimos en seres «transparentes», capacitados para vivir completamente en el presente con integridad y con más alegría por estar vivos. No sólo dejamos atrás nuestras pequeñas historias personales que hacen que sigamos aferrados al pasado, sino que también ayudamos a reconfigurar la humanidad siendo un modelo de vida más integrada e inspirada. Toda la humanidad se encuentra nadando en un océano de aguas emocionales contaminadas. Y la sanación de nuestra especie debe comenzar en cada uno de nosotros.

Para el bienestar de nuestra psique humana es necesario que aprendamos a vivir más tomando como referencia nuestra historia en general, la vida de nuestra alma. Esta manera más elevada y depurada de vivir marca el comienzo de una vida espiritual más intensa y terrenal, donde una práctica diaria de ser simplemente lo que somos potencia y fortalece esta identidad superior recién descubierta. Para adquirir verdadero conocimiento de algo debemos entrar en plena unión con ello; debemos experimentar verdaderamente aquello que se vaya a conocer.

Durante años, en nuestros programas de sanación con cientos de personas que procedían de todos los ámbitos de la vida, hemos advertido cómo las transformaciones se llevan a cabo de manera natural, a través de la liberación emocional y de la colocación de nuestros pensamientos, en la auténtica verdad de nuestra naturaleza. Estoy convencida de que se ha producido una llamada, tal vez desde nuestra propia alma, y que una especie de nueva vida está tratando de abrirse paso. Escribir este libro es mi manera de compartir contigo todo lo que estoy aprendiendo de los buscadores espirituales —sobre lo que somos y sobre por qué estamos aquí— que tengo la enorme fortuna de conocer y de trabajar a su lado.

UN VÍNCULO PERDIDO

Aunque en la actualidad muchas personas extienden los brazos en busca de ayuda, con problemas personales o con relaciones tormentosas, en mi opinión es evidente que se ha perdido algo básico, no sólo en nuestras vidas privadas y profesionales, sino también en muchas instituciones religiosas y sanitarias. Tras treinta años de exploración personal y de ayudar a los demás a sanarse, esto es lo que he llegado a creer: nos estamos olvidando de cómo vivir la forma sencilla y natural de ser nosotros mismos. Ni siquiera nuestros conocimientos psicológicos y religiosos son capaces de enseñarnos quiénes somos verdaderamente y por qué hemos venido a la Tierra. *Actualmente, lo que se está perdiendo en la mayoría de los seres humanos es el Yo esencial, nuestra alma encarnada.* Aunque *somos* almas espirituales que viven dentro de cuerpos humanos, apenas se reconoce la existencia de esta identidad.

Esto significa que el propio núcleo de nuestra naturaleza, que es capaz de inspirarnos, sanarnos y transformarnos, se está virtualmente ignorando. Nos hemos estancado en el ego, tratando de repararlo o de alimentarlo para hacer que nuestra vida exterior sea más exitosa. Pero el ego nunca ha llegado a ser lo suficientemente sabio como para sacar adelante una vida humana. Los egos no saben cómo abrir nuestro corazón ni cómo llevarnos a una vida creativa, intuitiva y llena de espíritu. Estoy convencida de que debe tenerse en cuenta este vínculo que se ha perdido si queremos llegar a experimentar alguna vez la dicha de ser plenos. Creo que tenemos la necesidad acuciante de realizar un importante ajuste perceptivo, de regresar a la verdad esencial de nuestra naturaleza. Nos estamos olvidando de quiénes somos.

El proceso que irás encontrando a medida que exploras este libro puede convertirse en un camino para que puedas acceder, identificar y modificar los patrones básicos que están enterrados en las profundidades de nuestra psique y que están incubando cualquier tipo de disfunción. Hasta que no seamos capaces de arrancar de raíz nuestras heridas más profundas, estos desequilibrios en nuestra naturaleza emocional seguirán reproduciéndose en todas nuestras relaciones y en todas las situaciones que nos encontremos en la vida.

Cuando nuestros egos comienzan a correr por el filo de su desaparición, dentro de nosotros, nuestro Yo más profundo, el alma, se eleva para tomar la delantera a los métodos limitados del ego. Cuando llegue el momento de realizar un cambio drástico en tu vida, llamado ciclo transformacional, tus pensamientos se dirigirán hacia una necesidad de conocer quién eres verdaderamente. Comenzarás a mostrarte reacio a quedarte en lo que no es esencial, en proyectos que son una pérdida de tiempo y te escucharás a ti mismo decir cosas como: «Éste no soy yo. ¿Qué estoy haciendo?» Pues bien, ¿qué ser que habita en tu interior sabe eso? Sin lugar a dudas, hay alguien dentro de ti que está tratando de que veas que te sientes aburrido con tus viejos métodos y que estás dispuesto a dar un paso al frente. Ése es tu verdadero Yo. Es la llamada para salir de cualquier forma de vida inconsciente como una persona no auténtica. Es posible que así sea como te sientes ahora mismo y que ésa sea la razón que explique por qué has cogido este libro.

VER TU VIDA HUMANA COMO ALGO SAGRADO

Para mantener una motivación sana que te permita «despojarte» de cualquier forma de vida nociva, tu vida debe estar inspirada por una sensación de mayor identidad y de objetivo sagrado. Cuando penetren en tu Yo superior (que, por cierto, ya eres), tu identidad verdaderamente cambia y adquiere un sentido superior y más sano de identidad personal. En este momento estás dándote cuenta de todo aquello que solías ser te producía muchos problemas. Tanto si vives en una mansión como si lo haces debajo de un puente, este cambio de identidad es la clave para la recuperación de todos los seres humanos: mirar en el interior de uno mismo y dejar que el verdadero Yo superior reluzca por sí mismo y salga a la vida como un ser transluciente. Este Yo compasivo y esencial que todos tenemos, *cuando se reconoce como algo legítimo*, tiene el poder de volver a despertar la pasión y de hacer que recobremos el espíritu en nuestra vida.

Nos devora el ansia de sentir la emoción de una vida apasionada. Cuando ya no somos capaces de sentirnos inspirados y creativos, nuestra mente se vuelve gris y comenzamos a perder corazón. Como ya estamos llenos de demasiada pasión sin utilizar o mal dirigida, ¿por qué no empezamos hoy a emprender de corazón una nueva forma de ser más vivificante, a medida que consumimos nuestra vida? En un camino de descubrimiento de nuestro propio Yo, no hay nadie que pueda hacerlo en nuestro lugar: nosotros debemos *ser* el cambio que buscamos.

De igual modo que Jesús fue un modelo para todos nosotros —al igual que todos los demás grandes seres que han residido aquí—, debemos llevar a cabo nuestra propia crucifixión antes de que pueda producirse una verdadera resurrección y ascensión. Y cada uno de nosotros tenemos un alma o un guardián interior que nos guía. Por tanto, debemos mirar en nuestro interior para entrar en contacto con la verdad de nuestro ser. Cuando miramos en nuestro interior, el gran misterio de la vida está allí para encontrarse con nosotros.

Todos ya tenemos el Yo que estamos destinados a ser aquí. Pero, por desgracia, hay muchas barreras defensivas levantadas a nuestro alrededor que nos impiden serlo. Sin embargo, por mucho que intentemos negarlo, nuestra propia esencia está imbuida espiritualmente por una serie de cualidades que dan vida. Nuestra naturaleza básica no son las reacciones ni los estados de ánimo emocionales; nuestra naturaleza básica es el amor.

Muchos de vosotros ya estáis preparados para conoceros a vosotros mismos de una manera completamente nueva y para recordar por qué vinisteis a la Tierra. La serie de procesos que te vas a encontrar en estas páginas están guiados por un objetivo general: entrar en contacto con un método efectivo para vivir que ofrece una ayuda práctica y vivificante a aquellas personas que están tratando de encontrar no sólo una serie de nuevas técnicas para vivir, sino de experimentar una transformación en su vida.

Tengo la esperanza de que asumir todo lo que está escrito aquí te proporcionará una realización inspirada de que eres una persona valiosa con un don único que aportar al mundo. Los principios y los métodos para sanar las emociones del trabajo interior que se ofrecen aquí ayudarán a liberarte de tu aflicción —sea cual sea— o cualquier tipo de duda persistente hacia ti mismo. Aprenderás a crear el espacio interior necesario para que se produzca de manera natural un despertar espiritual —sin necesidad de que se produzca una terrible tragedia que haga que te despiertes—. Tengo la sincera esperanza de que este libro proporcione sustento y apoyo afectivo a tu sanación emocional, así como un sentido renovado del objetivo que te ha traído hasta aquí. De hecho, existe un objetivo sagrado para el ser humano. Y ha llegado el momento de que todos empecemos a recordar esto y a vivir como el Yo que estamos destinados a ser aquí.

Tal vez, un día, nos encontremos cara a cara. Hasta entonces, espero que tu viaje de despertar esté lleno de conocimientos apasionantes y de la alegría que se siente al descubrir el magnífico ser que eres.

Nota para los lectores

Nuestras ansias de experimentar los placeres terrenales y espirituales

> No imploramos tanto el significado de nuestra
> vida como el éxtasis de estar vivos.
>
> Joseph Campbell

T RATAR DE ALCANZAR los «placeres de la carne» es un anhelo que se remonta al principio de los tiempos del diseño humano. Y lo mismo se puede decir de los sentimientos de culpabilidad o de remordimientos por desear experimentar dichos placeres. Solemos separar nuestro yo humano de nuestro yo espiritual, como si uno fuera malo y el otro fuera bueno. Nuestra incapacidad para comprender el modo de resolver esos opuestos tan molestos dentro de nosotros mismos han llevado a muchas almas inconstantes a caer en las adicciones, en la neurosis y en todo tipo de disfunciones en las relaciones, un camino traicionero que nadie debería elegir de manera *consciente*. Es algo natural amar tanto los placeres sensuales humanos como los sentimientos de ser espiritual o «elevado». Sin embargo, estos intensos y nobles objetivos a menudo nos producen gran cantidad de problemas. Por esa razón, tantos jóvenes tratan de tener experiencias conscientes con las drogas, sin llegar a comprender qué es lo que están buscando y por qué obsesionarse con el sexo, el *glamour* y los romances, que prevalecen tanto en nuestras vidas humanas ilusorias. Por esta razón somos una nación de consumidores de alcohol o, al menos, donde beber socialmente es la norma social *más* cómoda.

Nuestra naturaleza apasionada añora tener las experiencias numinosas y estéticas de la vida subjetiva no racional propias de nuestra alma. Todos deseamos alcanzar esta relación misteriosa e intensa con la vida y la emoción que se siente en la contemplación de la belleza, de la gracia y de la expresión estética. Éste es el lado positivo que tiene ser «un adicto». No es apropiado que unas criaturas divinas como nosotros nos contentemos con la norma más cómoda. Cuando la vida estética ocupa un lugar en nuestra vida, nuestra mente cortejará a nuestro corazón decidiendo abrirse a los caminos de nuestra alma.

Esta pasión por vivir, que toda persona que es propensa a las adicciones conoce perfectamente bien, es lo que han estado buscando por medio de los productos químicos y las relaciones intensas. El gran experto en mitología Joseph Campbell comentó una vez que «no imploramos tanto el significado de la vida como el éxtasis de estar vivos». Este éxtasis nos llega de manera natural una vez que hemos encontrado las llaves que abren ese precioso don que supone sentirnos excitados y que se encuentra dentro de nuestras vidas. Nuestra máxima alegría y realización personal como seres espirituales que viven en cuerpos humanos nunca procederá de fuera de nosotros. Aunque disfrutemos celebrando nuestras experiencias humanas sensuales con los demás, en cierto punto, para completarnos como personas, debemos volvernos hacia nosotros mismos y descubrir el modo natural de alcanzar la paz y la alegría que todos hemos venido a compartir a este mundo.

EL DESEO HUMANO ES UN REGALO DE DIOS

Este camino sagrado que nuestros anhelos y apegos abre a través de nuestra vida es el tema central de este libro. Vamos a explorar a fondo la sombra humana, nuestro «lado oscuro» —ese lado que todos tenemos y que nos produce tanta vergüenza y desdicha— que vive en nuestro cuerpo emocional y que trata de satisfacer nuestros anhelos de manera inconsciente y perniciosa. Como la Ley del Amor es el principio que nos gobierna mientras nos encontramos en la Tierra, podemos aprender a sanar las partes de nuestro ser que no son amadas y ayudarnos los unos a los otros en nuestros esfuerzos, para así poder sentirnos más sanos y plenos. De ahora en adelante, advertirás que cualquier dificultad que puedas encontrar en la vida se convertirá en una lección sobre el Amor.

Por desgracia, muchas personas no se han dado cuenta de que el deseo humano es una cualidad que nos la ha entregado Dios. El sentimiento de atracción es la Ley del Amor activada en toda creación. Amamos lo que deseamos y deseamos lo que amamos. Por tanto, es el propio poder del deseo el que graba la naturaleza de Dios, que es Amor, en nuestras vidas. Existe una fuerza impulsora en la naturaleza humana que siempre nos impulsa a santificar nuestros deseos: no sólo tratamos de encontrar el placer sensual, sino que también anhelamos fundirnos con lo divino. A través de este sentimiento constante de «insatisfacción divina» es como finalmente llegamos a una réplica de nuestro propio ideal, a nuestro Yo pleno.

Siempre habrá una especie de «gratificación erótica» que acompaña a cualquier asunto que esté relacionado con el corazón. Vivir en el Amor divino y tener Amor en nuestra vida es muy gratificante: se convierte en nuestro objetivo supremo. Ya que, de este modo, la naturaleza de Dios como Amor se dirige hacia nosotros. Y nosotros, dado que estamos hechos a imagen y semejanza de Dios, convertimos este amor en una forma humana: lo «asumimos». Cada vez que avanzamos en este «camino supremo», tenemos la sensación de que merece la pena vivir la vida, incluso cuando pasamos por muchas dificultades. Sentiremos que estamos viviendo en Dios y que Dios está viviendo en nosotros. Y éste es un estado de puro éxtasis.

QUIENES TRASCIENDEN DE MODO NATURAL SON LAS MUSAS DEL ALMA

Tus instintos pasionales son los trascendedores naturales; tú eres la musa del alma. Puedes aprender a amar y a aceptarte a ti mismo como el afortunado poseedor de apetitos copiosos, de una mente hambrienta y de un corazón que trata de llevar una vida sincera y entusiasta. El anhelo, la búsqueda, la embriagadora anticipación del buscador, de ir en todo momento avanzando hacia alguna experiencia intensa y profunda, tratando siempre de alcanzar una mayor alegría que proporcione más sabiduría —tal vez ésa sea la verdadera bendición de estar vivo—. Y debo añadir: tal vez sea la manera en la que Dios nos mantiene en el camino de la trascendencia. Ya que, aunque muchas veces quemamos nuestras alas y nos estrellamos contra el suelo en charcos de deleite o de dolor intensos, deseamos volar muy alto. Somos el pueblo del corazón.

Podría ser que ésa sea la razón que explique por qué nuestro futuro continuamente se avecina pero nunca acaba de llegar. Nuestro «descontento divino» nos asegura que nunca descansaremos en una especie de estado incompleto —y nos mantiene con la sensación de que siempre somos capaces de ir más allá de nuestras posibilidades actuales, una y otra y otra vez—. Tal vez, así es como finalmente imitamos nuestra naturaleza divina y nos convertimos en nuestro propio ideal.

La aceptación de nuestra naturaleza plena como seres humanos y como seres divinos exige un cambio en la consciencia que no se puede dar por sentado; es necesario realizar un gran trabajo interior antes de poder resolver verdaderamente estas divisiones «malignas» que hay en nuestro interior y que pueden llegar realmente a hacernos pedazos. ¿Alguna vez has pensado en cómo la sencilla aceptación personal es la clave para nuestro bienestar? Una vez que nuestro cuerpo emocional se sana, tenemos asegurada la aceptación personal.

He escrito este libro para ofrecerte mucha confirmación y apoyo en tu proceso de sanación y de aceptación de ti mismo tal como eres —y justo donde estás— en tu viaje a casa.

Con mis mejores deseos,
JACQUELYN SMALL
Enero de 2005

INTRODUCCIÓN

Actualmente está sucediendo algo en toda la estructura de la consciencia humana. Está empezando a desarrollarse un tipo de vida muy rico.

PIERRE TIELHARD DE CHARDIN

E S CIERTO! OBSERVO cómo se suceden una serie de cambios rápidos y positivos en todas las personas que me rodean. ¿Qué pasaría si dentro de un año (o incluso antes) pudieras mirar hacia atrás y ver que te has convertido en la persona que siempre habías deseado ser? Te das cuenta de que has dejado de estar gobernado por tu pasado, que tus relaciones ya no se ven atormentadas por problemas que no se han resuelto. Sientes una pasión renovada por vivir la vida y te vuelves a sentir inspirado y creativo. Todo esto les ha sucedido a muchas personas que conozco y también te puede suceder a ti.

Leer libros sobre el trabajo interior transformacional difiere notablemente de la lectura ordinaria. Están viviendo la verdad, no «letra muerta». Los mensajes que se encierran en este libro (especialmente en los Doce Principios de Plenitud) están agrupados, de tal modo, que los distintos aspectos de significado calen en ti en momentos distintos, dependiendo del nivel de consciencia en el que te halles cuando te encuentres con ellos. Escucharás lo que necesitas escuchar cuando lo necesites escuchar y descubrirás nuevas perspectivas a medida que profundices en tu consciencia de Yo.

Los capítulos que tratan de los Doce Principios de Plenitud, y que estudiarás en este libro, pueden convertirse en un proceso de doce meses de transformación personal. Puedes optar por utilizar este libro como una guía y una meditación de doce meses, trabajando con cada Principio durante todo un mes. Cada uno de los Principios funciona como una «semilla de pensamiento» que, poco a poco, echa raíces en tu mente a medida que caminas conscientemente a lo largo de cada día practicando tu modo de vivir teniendo como referencia cada uno de ellos. Estos principios te mantendrán en contacto con tu Yo pleno y auténtico. O simplemente puedes leer este libro y extraer de él lo que desees. En cualquier caso, este libro evoca un proceso de transformación. Las enseñanzas y las experiencias que te encontrarás aquí están diseñadas para proporcionarte la riqueza de una vida regular llena de todo tipo de aventuras emocionantes en consciencia, si estás dispuesto a entrar en ellas con una sinceridad personal *radical* y con una intención resuelta.

El trabajo interior de transformación que aparece en este libro ha sido probado y demostrado por muchas de tus almas gemelas que han estudiado con nosotros a lo largo de varios años. Los procesos psicoespirituales que se incluyen aquí te ayudarán a equilibrar gran parte de tu karma (las consecuencias de tus actos que se han acumulado a lo largo de los años procedentes de una vida inconsciente), para que así puedas dar el paso siguiente en la verdadera expresión de tu vida. Si te sientes atraído por lo que se dice aquí pero te has sentido aislado en tu pensamiento, te ofrezco información que podría ayudarte a sentirte menos solo:

Los estudios indican que en la actualidad hay aproximadamente cincuenta millones de personas en los Estados Unidos que están formando una nueva subcultura interesada en el desarrollo y en la transformación personal empírica, y en solucionar los problemas de manera creativa, con el fin de crear un mundo mejor[3]. Estas personas no son impulsoras de una «nueva ola» ni marginadas de la sociedad. Son científicos, arquitectos, profesores de universidad, escritores, artistas, amas de casa, médicos y otros creadores de opinión. Tal y como lo describe Richard Florida en *The Creative Class*, estas personas desean emprender una tarea cuya función consista en «crear nuevas formas significativas». Y estos investigadores especulan con que estos «creativos culturales» pueden estar remodelando también nuestra cultura en general. En mi opinión, son las personas que se están saliendo de las formas antiguas y fragmentadas de existencia y se están convirtiendo en verdaderos seres.

Hemos ido todo lo lejos que hemos podido en nuestras formas separatistas de llevar vidas egocéntricas. Como puedes ver, estamos destruyendo inconscientemente tanto nuestro planeta como nuestra calidad de vida. El Yo, nuestra verdadera naturaleza, nos está llamando en este momento para que despertemos y asumamos la responsabilidad de convertirnos en seres humanos sanos y plenos. Estamos evolucionando en nuestra siguiente y suprema identidad. *El propósito sagrado de ser humanos* consiste en crear nuestra nueva forma significativa de alinearnos con nuestro poder espiritual innato para perseguir el sueño de nuestra vida. Consiste en emprender un viaje interior que nos lleve a descubrir nuestro Yo creativo y lleno de espíritu.

Cuando nuestra alma se despierta, comenzamos a vernos a nosotros mismos, en gran medida, «desde las alturas». Comenzamos a vivir nuestra gran historia, viendo el objetivo sagrado que se encuentra detrás de todas las cosas que nos han sucedido, incluso nuestros «errores» más graves. La filosofía de la plenitud te permitirá reconocer y expresar todo el potencial que ya reside en tu interior y que está esperando a que lo percibas. Hay cierta magia en los métodos que vas a encontrar aquí. Lo sé porque los he practicado durante varios años mientras era testigo también de los resultados que obtenían muchas otras personas. Ahora te invito a que te unas a este proceso radical de recuperación y de revitalización que te ayudará a convertirte en la persona que siempre has tratado de ser.

Los capítulos 1 y 2 te ayudarán a recordar quién eres de verdad y a encontrar tu identidad suprema como un ser espiritual que aprende a ser humano. El capítulo 3 presenta ciertas definiciones cruciales y explica los siete niveles de consciencia, conocidos en la filosofía oriental como el sistema humano de chakras, en el que vivimos mientras pasamos de ser un ego fragmentado a convertirnos en un Yo verdadero y pleno. El rastro que seguimos en nuestro despertar no es lineal. Viajamos a varias velocidades, incluso volviendo algunas veces hacia atrás en las mismas etapas formando una espiral, profundizando cada vez más para integrar una serie de aspectos de una verdad que no hemos comprendido completamente en la última lectura. A medida que vamos profundizando, nuestra consciencia personal se expande. El material que aparece en este libro no es algo que simplemente se deba leer, sino que también va a cambiar tu vida. En el capítulo 4 aprenderás a ver cómo el alma nos habla a través del símbolo y el método que utiliza para hacer que seamos seres plenos.

El capítulo 5 te prepara para realizar tu viaje de futuro despertar ayudándote a limpiar tu mente y a abrir tu corazón con el fin de experimentar tu Yo más profundo. Los siguientes doce capítulos describen los Doce Principios de Plenitud que permiten que sigamos avanzando a través de nuestro camino de manera sana y llena de gracia. Cada uno de los Principios describe una Lección de la Vida que debemos aprender a lo largo de nuestro camino y nos proporciona una serie de métodos empíricos que nos permitirán estar verdaderamente en contacto con cada uno de los Principios en la vida diaria. El capítulo final resume los métodos que se emplean para mantener este proceso vivo en tu vida diaria y contiene una serie de consejos sobre cómo encontrar la tarea que debes realizar en tu verdadera vida.

Si lo deseas, puedes trabajar con cada uno de los Principios, y con sus lecciones y prácticas durante todo un mes, para que verdaderamente cobren vida en tu existencia. Este proceso contiene las lecciones y prácticas transformadoras que hacen que seamos seres plenos. El Yo, y sus potentes métodos de transformación, está despertando en ti. Desde este punto en adelante comenzarás a ver sus mágicos resultados.

> *Lo peor de todo es cuando las personas*
> *no saben cómo escapar de la vieja rutina.*
> *Resulta terrible cuando tratan de probar*
> *nuevos estados empleando sus viejos hábitos.*
> *De igual modo que resulta imposible abrir*
> *un cerrojo moderno con una llave medieval,*
> *del mismo modo es imposible para los hombres*
> *con viejas costumbres abrir la puerta del futuro.*
>
> ENSEÑANZAS DE AGNI YOGA

1

SERES ESPIRITUALES APRENDIENDO A SER HUMANOS

¡Que la sinceridad de todos tus egos
se conviertan en la Alegría de nuestra Alma!

DJWHAL KHUL

EL CAMBIO DE IDENTIDAD QUE TE CAMBIA PARA SIEMPRE

En todo momento hemos sido programados para creer que somos meros seres humanos —y seres que, por ello, han sufrido una condena— tratando por todos los medios de convertirse en seres espirituales sin que casi nunca lleguen a alcanzar su objetivo. Tú *no* eres un ser humano que trata de ser espiritual, sino que eres un ser espiritual que aprende a ser humano.

Este cambio drástico de identidad es transformacional en sí mismo, es una redefinición del ser humano, una perspectiva expandida, en la que se pasa de pensar en uno mismo, como una pequeña criatura lastimosa que necesita ser arreglada o salvada, a una que es un alma despertándose y que tiene un objetivo sagrado en esta vida humana.

Esta verdadera definición de lo que eres te lleva a apartarte de cualquier tipo de pseudoidentidad que creías tener y a recordar cuáles son tus intenciones supremas. No eres «el adicto», «la víctima», «el codependiente» —ni cualquier otro sub-yo con el que te hayas identificado y que hayas permitido que dirigiera tu vida—. Aunque puedes llegar a experimentar todos esos estados, en realidad no son un indicativo de lo que tú eres. Ésta es una grave equivocación que te afecta de manera notable, ya que el modo en el que nos identificamos a nosotros mismos determina el modo en el que vivimos toda nuestra vida.

Tu llamada de despertar suena como: «¿Quién soy en realidad? ¿Y qué tengo que hacer aquí? ¿Qué estoy haciendo con mi vida? ¿Me encuentro en el buen camino o me he perdido? ¿Y si me he perdido, estoy dispuesto a volver a ser mi Yo?»

EL YO ES TANTO TU ORIGEN COMO TU META FINAL

El Yo es consciencia —es lo que verdaderamente eres—, un arquetipo de Humano que está hecho tanto de espíritu como de materia. El Yo se manifiesta tal y como el tipo de persona que estamos diseñados a ser. Cuando la entidad combinada nace del matrimonio entre tu alma y tu personalidad, el Yo puede pensar con claridad más allá de todas las idas y venidas, y errores cegadores, que podamos haber cometido en nuestras vidas. El Yo puede hacer esto porque no es algo meramente temporal y humano, sino que también es algo eterno y divino. Siempre está atento ante el panorama general y te recuerda que estás aquí para madurar en tu forma humana y para expresar tus talentos singulares en este mundo como un Espíritu en movimiento.

Ahora te estarás preguntando quién eres si no estás siendo tu verdadero Yo. Puede que no te haya ocurrido antes, pero existe todo un comité de impostores que viven dentro de tu psique y que saltan a la mínima oportunidad fingiendo que son tú. Si alguna vez quieres llegar a experimentar la plenitud, estas subpersonalidades, de las que hablaremos con más profundidad en el capítulo 2, deben encontrarse y exponerse para luego ser integradas de forma positiva en tu personalidad. Una vez que se vuelven conscientes y tienen nombre, estas pequeñas personalidades parciales nunca más tendrán el poder de impedirte que seas aquello que estás destinado a ser.

Tu auténtico Yo es una personalidad *impulsada por el alma*. Cuando vives como tu verdadero Yo, eres un ser cuyo ego sano se ha quedado en un segundo plano y ha dejado paso al alma. Entonces, es tu alma la que dirige todas tus motivaciones y tu conducta. Tu verdadera naturaleza nunca se pierde en momentos de engaño, ni tampoco se encuentra en un momento de iluminación. Tu Yo simplemente existe. Existe sin el tiempo ni el espacio y no tiene extremismos ni ningún tipo de ignorancia. No depende de nada ni se siente atraído por nada. Tu verdadera naturaleza sale a la luz desde el interior cuando una subpersonalidad no la bloquea. Tu Yo es omnipresente, una belleza radiante y una realidad absoluta: la joya más insólita que no tiene precio. Cada uno de nosotros somos una afirmación única del Yo arquetípico. Los budistas enseñan que el Yo nunca es destruido por la tierra, el agua, el aire ni el fuego. Es la «chispa divina» o el núcleo desde donde nosotros, los seres humanos, brotamos; nuestra consciencia raíz que hace que existamos.

Por tanto, ahora deja que te pregunte: «¿Estás dispuesto a permitir que tu Yo tome el mando y te guíe en tu vida?» Sin lugar a dudas, no prefieres aprender las duras lecciones que son consecuencia de vivir con una falsa identidad, como «el adicto», «la víctima» o aquella persona que, como una excusa ante su conducta indigna, proclama con énfasis: «Bueno, así es como soy». De manera consciente, o inconscientemente, tú eliges quién será el encargado de dirigir tu propia vida.

TU ESPIRITUALIDAD ES UNA REALIDAD

Gracias al trabajo de los exploradores de la consciencia como el doctor Carl Jung, ahora sabemos que la espiritualidad no es un objetivo. No es el resultado de la oración ni de la meditación. La espiritualidad no es el resultado de un tratamiento. No es algo que ganamos por medio de nuestras buenas obras. La espiritualidad es nuestra propia esencia.

La «espiritualidad» es *la fuerza interna dinámica* que nos empuja a convertirnos en seres plenos y con un corazón más puro. «Ser espiritual» se refiere a tu auténtico estado natural del Yo. Los esfuerzos despiadados del Yo por alcanzar la plenitud nos mantienen expuestos a nuestra plena expresión. Estamos floreciendo en nuestra historia general, una historia que nos inspira a alcanzar nuestro objetivo supremo aquí: llevar el espíritu a esta vida terrenal. No se trata simplemente de una proposición religiosa afirmar que somos seres espirituales. Actualmente es un concepto universal, incluso desde el punto de vista científico[4].

Los físicos subatómicos sostienen que el centro de todo átomo humano es la luz. Los investigadores del cerebro afirman que nuestro cerebro funciona como un holograma donde ya tenemos todo el cosmos en nuestra mente. Los analistas que siguen a Jung afirman que el Yo está considerado como un arquetipo dentro de la mente inconsciente colectiva. La religión convencional afirma: «El Padre y yo somos uno» y «El reino de Dios está en nuestro interior». Y el programa de Doce Pasos pretende que nos alineemos con el Poder Supremo, definiendo la recuperación como un camino espiritual.

Sin embargo, incluso con toda esta convalidación de nuestra verdadera naturaleza, resulta evidente que no nos hemos despertado completamente a las consecuencias de nuestra identidad espiritual *como una realidad*. Este reconocimiento de nuestra naturaleza intrínseca como seres espirituales no ha tenido el impacto cultural o psicológico que finalmente tiene que tener. Todavía nos comportamos, pensamos y planeamos programas como si fuéramos simples egos que necesitan repararse; o, lo que es peor aún, medicarse y depender de los expertos para toda la vida.

Tal vez estamos atrapados por nuestros propios intelectos que se están haciendo rápidamente demasiado pequeños como para contenernos por más tiempo. Si tanto los científicos como los guías espirituales no dicen algo que se ha demostrado y todavía no lo vivimos, ¿acaso eso no se convierte en un problema ético para nosotros?

Evidentemente, el siguiente paso que debemos dar hacia la plena recuperación de cualquier cosa que haya en la vida, y que no se haya cumplido, es unir lo que sabemos de los principios psicológicos con los principios espirituales para que nos permitan acceder al Yo *pleno*, tanto por lo que se refiere a nuestra personalidad humana como a nuestra alma. Necesitamos ayudarnos los unos a los otros a encontrar nuestra propia fuerza y nuestro sanador interior, y a adoptar una visión del mundo que nos recuerde que cada uno de nosotros tenemos algo único que ofrecer al mundo. Para recuperarnos de nuestros caminos desviados, todos necesitamos creer en *nosotros mismos*, mantenernos erguidos y con la dignidad de saber que tenemos que llevar una vida valiosa y creativa.

Ya estamos versados en los trabajos de la psicoterapia, en el trabajo bien aceptado de la familia de origen. El movimiento de autoayuda continúa en plena vigencia. Y muchos programas de recuperación de cualquier adicción se basan en la premisa de que es esencial experimentar un despertar espiritual para conseguir una vida transformada. Por tanto, se ha creado el escenario adecuado para que este método holístico impulsado por el Espíritu penetre en el mundo de la aceptación y de la corriente general de pensamiento, y este paso empieza en ti mismo.

PENETRAR EN TU IDENTIDAD SUPREMA

Tu Yo, que es consciente de sí mismo, ya conoce la historia general que se está desplegando en tu vida. No olvides que puede trascender al tiempo y al espacio. Nunca ha nacido y nunca morirá, así que nunca vive con temor a nada en absoluto. Es el puro proyecto que transporta todas las cualidades naturales de todo lo que pretende llegar a ser.

La mente de un Yo auténtico funciona como un Observador que no juzga y que puede pensar con claridad más allá de todas las idas y venidas que experimentes en tu vida ordinaria. Nadie nos enseña muchas cosas acerca de este Yo interior que mantiene la visión, incluso en mitad de los conflictos más graves y de los ataques de pánico. Sus motivaciones siempre son puras y no producen el menor daño. Este Yo Observador siempre está ahí, aunque muchas veces no lo utilizamos. Su función consiste en recordarte que debes «levantarte y salir», y ver tu realidad suprema cada vez que te veas atrapado en un aprieto de tu vida personal.

Yo soy lo que se califica como «un paciente clínico que ha tenido una experiencia cercana a la muerte», que falleció por unos minutos durante una crisis de salud cuando tenía veintinueve años, momento en el que salí de mi cuerpo durante mi «muerte», mientras me escuchaba decirme a mí misma: «Ahora estás muerta. Fíjate en esto». *Era la misma consciencia que tengo al hablar ahora mismo contigo.* A continuación, mientras me dejaba llevar, pensaba en mi hijo de ocho años, que era un diabético juvenil y que iba a quedarse sin madre. Una vez que pensé en él, sentí el latido de su corazón y volví mágicamente a mi cuerpo, consciente de que mi médico se encontraba allí, salvándome la vida. Te cuento esto para que sepas que es cierto que nuestra consciencia nunca muere. En cierto nivel, seguimos adelante, con independencia de dónde nos encontremos.

¿No sería maravilloso que pudiéramos vivir constantemente con la identidad de este Yo eterno y sagrado que ya somos, y dejarlo que nos madure y nos convierta en la persona que estamos destinados a ser? Casi siempre es necesario que experimentemos cierto tipo de crisis drástica para llegar a algún punto. Dedicamos gran parte de nuestro tiempo a mirar hacia atrás a lo que hemos sido. Pero, por desgracia, cuando nos vemos a nosotros mismos a través de un espejo retrovisor, perdemos el contacto con el Yo que nos está mirando directamente a los ojos, el Yo que vive en el Presente eterno.

2

NO ERES TU EGO

Tu ego es una maravillosa ficción…, un espejo falso…
Una novela escrita por nosotros mismos sobre nosotros mismos.
Y el primer paso en nuestra Búsqueda es
apartarnos de sus artes de seducción.

YATRI (HOMBRE DESCONOCIDO)

LA DESCRIPCIÓN DE LA LABOR DEL EGO

Tú *tienes* un ego. Pero tú no eres tu ego. Aunque en realidad es el ego el que nos crea tantos problemas, resulta peligroso llegar a pensar que estamos aquí para eliminarlo. El ego es el director de nuestra personalidad. Cuando adoptamos la forma humana, el ego fue diseñado específicamente para conducirnos de manera segura a través de esta realidad concreta y para recordarnos que debemos satisfacer nuestras necesidades básicas. Si no lo hacemos, nuestro ego se vuelve tenebroso y actúa de manera inconsciente, llevándonos incluso algunas veces a comportarnos como animales y como seres subhumanos. Cuando despiertes, estarás dispuesto a asumir la responsabilidad de adquirir las cualidades perdidas y el entendimiento que necesitas para dominar todas las partes de tu ego que se hayan trastornado o deformado cuando estabas desarrollándote. A esto se le llama «el trabajo de la sombra» o, más específicamente, se considera el «trabajo de la subpersonalidad»[5].

No empezamos a vivir esta vida con un ego perfectamente formado. Nos sentimos heridos o contrariados a medida que aprendemos a renunciar a nuestras conductas infantiles y vivimos de una manera socializada como personalidades humanas. Cada vez que experimentamos abandonos o abusos dolorosos cuando somos jóvenes, una parte de nuestro ego se divide en un fragmento de nuestra personalidad en desarrollo y se forma un pequeño ente que utilizamos para gratificar ciertas necesidades insatisfechas. Todos conocemos al «bebé llorón» que gime para que lo alimenten y a la «boca grande» que grita para atraer la atención de los demás. Y a medida que nos hacemos mayores, nos volvemos más sutiles a la hora de crear y de interpretar a esos pequeños subseres: el manipulador, la víctima, el controlador, el adaptador. En la actualidad, sin lugar a dudas hacemos esto de manera consciente; este proceso de separación del ego se produce a través de nuestra mente autónoma, todopoderosa e inconsciente. En cierto punto, para ser plenos, debemos aprender a reconocer el modo de funcionar de estos pequeños seres y hacer que se vuelvan conscientes. De lo contrario, ellos gobernarán, e incluso arruinarán, nuestras vidas.

AQUELLOS QUE PRETENDEN SER LO QUE TÚ ERES

Algunos de estos seres impostores a los que llamamos «subpersonalidades», y que podrías reconocer que habitan en tu interior cuando despiertes, son los siguientes:

El adicto desea obtener lo que quiere cuando lo quiere y busca en el exterior para conseguirlo.

El codependiente entrega su poder a los demás y no tiene sentido del yo.

El saboteador siempre se asegura de que fracasas cada vez que estás a punto de triunfar en algo.

La víctima echa siempre la culpa a los demás, se siente impotente y ve a perpetradores por todas partes.

El padre crítico siempre te recuerda tus fallos.

El seductor o la seductora utiliza la manipulación y el encanto personal, e incluso a veces la sexualidad, para ganarse a los demás o para sentirse especial.

El niño herido no soporta las críticas y no acepta la responsabilidad adulta.

El pequeño profesor lo sabe todo y le gusta demostrárselo a los demás.

El eterno joven nunca crece, permanece adorable y encandila a todos los que se encuentra en su camino.

Éstas no son más que algunas de las máscaras que se pone nuestro ego sombrío. Sin embargo, una vez que somos conscientes de ellas y las convertimos en algo positivo, tienen una función muy valiosa en nuestra vida subjetiva.

Cada vez que te comportes de una manera en la que «no seas tú», es muy importante identificar quién es el que se ha apoderado de tu boca, de tus ojos, de tu cerebro, de tus sentimientos y de tu conducta. Una subpersonalidad acaba de aparecer en escena. Así que debes mirar en tu interior y ver este Yo con tu ojo interno. Observa qué traje lleva y qué papel está representando. A continuación, ponle un nombre; cuanto más gracioso, mejor. Mi marido llama a su Yo impetuoso «el señor Tienes Que». Mis hijos una vez llamaron a mis maneras imperativas «Mamá mafia». Esto nos ayuda a desidentificarlos y a compadecernos de ellos de una manera distendida. Son como niños que se disfrazan de adultos. Y llevan consigo una parte de lo que somos, suplicando para que los sanemos.

UN YO DIVIDIDO NO PUEDE PERDURAR

La sanación psicológica va de la mano con el despertar espiritual. Todas nuestras pequeñas subpersonalidades deben sanarse y entrar en la luz de la compasión y de la aceptación para que, así, po-

damos ser una personalidad integrada. De hecho, una psique sana
será la base sobre la cual se construya cualquier vida espiritual. Si
nos dividimos en fragmentos que creemos que «son buenos» y en
otros que creemos que «son malos», nuestra vida espiritual no tendrá nada de espiritual. Estaremos llenos de juicios y de negatividad
mientras estamos enmascarados como una persona espiritual. Una
parte de nuestro ego nocivo nos gobernará y podemos incluso ma-
linterpretar lo que significa ser espiritual. En consecuencia, no hay
escapatoria a esta realidad: sin una psique sana, creamos una espiritualidad fraudulenta y una vida alterada.

Como estamos hechos tanto de espíritu como de materia, al igual
que todas las demás cosas de la creación, los principios fundamentales de nuestra naturaleza *plena* deben aceptarse para que podamos
prosperar. Si tu naturaleza se vulnera, como una violeta de inverna-
dero en una tormenta de nieve, te marchitarás y morirás. Para poder experimentar tu plenitud es necesario aceptar tanto los principios psicológicos como los principios espirituales. De ahí viene el
término *psicoespiritual.*

El trabajo psicológico diseñado para adquirir técnicas que nos
permitan crear un ego sano es muy adecuado, pero sin su homólo-
go espiritual te quedarás a medio camino. Todavía tendremos la sensación de que nos falta algo hasta que aprendemos a satisfacer también las necesidades supremas de nuestra alma. En un método
holístico para alcanzar el bienestar, algunas personas necesitarán más
trabajo psicológico para sanar su pasado, mientras que otras puede
que necesiten vivir experiencias de espiritualidad más directas para
darse cuenta de que son «mucho más que lo que aparentan».

El trabajo interior transformacional no es un proceso lineal de
adquisición de técnicas; se despliega como una serie de experiencias
de «muerte/renacimiento» en las que «morimos» a nuestros viejos
modos de ser al mismo tiempo que van apareciendo nuevas formas.
Tu identidad se expande constantemente para incluir más propor-

ción de lo que eres. Es un proceso en constante curso. Cuando nos encontramos en un «ciclo de muerte», algunas veces parecerá como que estamos retrocediendo en lugar de avanzar. Pero cada «muerte» viene seguida de un «renacimiento». La muerte y el renacimiento, de hecho, no se pueden dividir: son dos partes del mismo proceso. Y sería conveniente recordar esto cuando las partes de tu vida —o las partes de tu ego— comiencen a desprenderse.

A menudo tus cambios se producen mientras presentas tu otra cara. La gente te dirá que algo dentro de ellas acaba de cambiar y el ansia por conseguir ese «lo que sea» que estaba haciendo pedazos tu vida se ha eliminado mágicamente. Ése es el poder de la transformación.

Todo el mundo se encuentra en constante evolución. Pero aquellos de vosotros que elijáis conscientemente crecer con mayor rapidez —algo que, francamente, no siempre es divertido— habéis entrado en lo que los místicos algunas veces llaman «el camino acelerado». Es en esta pista rápida de transformación donde verás que tu alma no te permitirá permanecer en ningún tipo de alineamiento erróneo con el Espíritu durante mucho tiempo. Es *implacable* a la hora de enseñarnos las lecciones que debemos aprender para integrar nuestra personalidad. Si no aprendemos nuestras lecciones desde el interior —a través de un trabajo interno terapéutico y de una perspicacia notable—, padeceremos una experiencia dolorosa en nuestra vida exterior y lo llamaremos el Destino.

CUANDO TU ALMA Y TU PERSONALIDAD SE UNEN

Sanar nuestro ego herido y honrar sus seres parciales satisfaciendo sus necesidades depende completamente de nosotros, así que nuestra personalidad puede integrar sus partes separadas y luego unirse al alma. En algún punto nuestro ego comienza a cansarse de sus costumbres predecibles, estancadas y descentradas, y comienza a desear algo nuevo. Tu ego quiere «ser elevado». Entonces recurre al alma, sin darse cuenta de que puede que tenga que morir cuando el alma responda a su llamada.

El alma es luz. ¿Y adónde va la oscuridad cuando la luz entra en escena? Se disipa. Y lo mismo sucede con nuestra «cosa» no integrada del ego. Cuando el alma desciende hacia tu vida física, primero iluminará tu corazón y, después, prenderá fuego y, tal y como dicen los alquimistas, «cocerá el ego en las aguas del Espíritu». Comenzarás a perder tus principios severos y todas esas opiniones que defiendes con tanta vehemencia, y te sentirás vulnerable y pequeño mientras comienzas a tratar de controlar menos todo.

La luz de tu alma quemará cualquier escoria que haya en tu personalidad que pudiera mantenerte apartado de la compasión y de la aceptación personal. El alma extraerá «el oro» de tu personalidad —todas las partes verdaderas que hay en ti— y fundirá el resto. Te está moldeando en tu verdadero diseño. Y tengo que advertirte que eso no siempre te hace sentir demasiado bien. Nos hemos acostumbrado a estar dominados por el ego y a sentirnos apegados a lo que nos resulta familiar, sin importar lo disfuncional que pueda ser lo familiar. Por tanto, al principio, puede que te resistas a presentar la rendición necesaria para seguir adelante. Si eres capaz de acordarte de «dejar llevarte y dejar que Dios obre», te transformarás en tu auténtico Yo con mucha más gracia. Los egos no ceden el control tan fácilmente. Y cuanto más pateemos y gritemos, peor será para nosotros.

El ego y el alma son una *antinomia* —pares opuestos que existen uno junto al otro—. Los dos juntos crean un Yo pleno, donde cada uno tiene su propia forma de expresión. Su «oposición» nunca se combina, ya que cada uno perdería su verdadero don de la expresión. El mejor símbolo que he encontrado para explicar este matrimonio es el símbolo chino del yin y el yang. Existe un respeto reverencial del uno por el otro cuando se unen. Cada uno completa al otro.

Cuando te conviertas en una personalidad infundida de alma, sabrás que todas tus experiencias, incluso las más dolorosas, tienen un objetivo sagrado. Desde este nivel de consciencia más integrado, aprendemos a perdonarnos a nosotros mismos y a los demás por los giros equivocados que hemos dado a lo largo del camino.

Finalmente, nos damos cuenta de que todas esas pequeñas sub-personalidades han sido nuestros instrumentos de transformación, el «fuego por fricción» que nos ha empujado perpetuamente hacia delante. Cada vez que empezamos a desviarnos del rastro y a apartarnos del camino, podemos recordar la maneras de penetrar en nuestro verdadero Yo y de regresar al centro.

3

La preparación para el trabajo interior

En un momento de crisis en cualquier civilización, algunas
personas acuden desde el mundo exterior
hacia la vida interior de la psique. Y al descubrir
que hay una nueva forma de vida, regresan al
mundo exterior para formar una minoría creativa, que
actúa como una levadura para la renovación de esa civilización.

Arnold Toynbee

TU PSIQUE ES EL CAMPO DE JUEGO

Nuestras psiques se convierten en el campo de batalla donde se
dirimen los formidables conflictos que existen entre nuestras almas
espirituales y nuestra personalidad impulsada por el ego. Nuestros
ancestros concibieron las instituciones de psicología humana y religión para afrontar esta abrumadora falta de alineamiento y con la esperanza que nos ayudara a superarla. Sin embargo, desgraciadamente, nos hemos herido experimentando muy poco trabajo del
alma. Aunque la palabra *psique,* en griego, significa «alma», la *psicología* ha olvidado que su nombre significa «el estudio del alma».
Y nuestras religiones muchas veces mencionan al alma, pero apenas
dan indicaciones acerca de su naturaleza.

El trabajo interior psicoespiritual nos ofrece un camino a través
de este conflicto entre el ego y el alma. Cuando tienes una experiencia directa en la que ves que eres un ser espiritual que aprende
a ser humano, la vergüenza y la culpa se desvanecen y te llenas de

cualidades revitalizadoras de compasión, aceptación y perdón. Como seres espirituales, somos plenamente conscientes de que nuestra preparación aquí ha sido una experiencia terrible. ¿Acaso no todos cometemos errores de manera natural cuando practicamos algo nuevo? La vergüenza y la culpabilidad a los demás se han convertido en los principales obstáculos para nuestro crecimiento y transformación. Cuando pasamos de los mundos exterior al interior estamos verdaderamente profundizando en los tesoros de la psique humana y descubrimos allí toda una nueva forma de vida. Vemos todo lo que guarda relación con nuestra vida a través de una lente más amplia. Nos volvemos más afectuosos y nuestra mente se expande.

LA PSICOESPIRITUALIDAD: DEFINICIONES Y TÉRMINOS CLAVE

Para prepararte a realizar tu trabajo interior, sería conveniente dejar claro lo que significan los términos *Espíritu, alma, personalidad, ego, sombra* y *personalidad infundida de alma*. Hay mucha confusión acerca de estos niveles completamente distintos de tu identidad. La gente confunde especialmente el alma con el Espíritu. Así que quizás las siguientes definiciones puedan servirte de ayuda:

El *Espíritu* es el término más difícil de definir, ya que cualquier definición que demos estará muy limitada. Las palabras sólo pueden servir como un cartel indicador de su significado. Es el nivel de realidad más elevado y expandido que podamos imaginar. Va más allá de lo que nuestro intelecto es capaz de asumir. El Espíritu es el principio animado, el «aliento de vida». Es la Energía o la Fuerza de Creación en sí. El Espíritu no tiene forma, no es específico, es plenitud abstracta, el contenedor de todas las posibles manifestaciones. El Espíritu es lo *impersonal;* es el Todo. El uso de la palabra *espiritual* implica que algo está imbuido de fuerza creativa o de movimiento de Espíritu.

Las correlaciones con el concepto de *Espíritu* son: Dios, el Todo, Deidad, el Universo, el Cosmos, el Vacío, lo Divino, Logos, la Singularidad.

El *alma* reside en un lugar intermedio de la consciencia; vive entre el Espíritu y la materia. El alma es la *relación* que existe entre esas dos realidades divergentes. Mientras que el Espíritu es impersonal, el alma encarnada es personal; es la causa actuante de la vida individual. El alma es «gemela»; puede mirar hacia ambas direcciones: hacia arriba para absorber las intenciones divinas del Espíritu y hacia abajo para penetrar en los caminos humanos.

Tu Alma Espiritual mira hacia arriba y vive en su propia dimensión arquetípica, como el Alma de la Humanidad, de la cual todos somos una parte vital. No adopta una condición humana, ni tampoco llega jamás a individualizarse. El Alma Espiritual te concede el poder de elevarte y de salir de cualquier estado que se haya vuelto demasiado doloroso o constreñido. El Alma Espiritual, siempre consciente con completa objetividad de nuestra historia general, equivale al principio masculino que hay dentro de todos nosotros, con independencia de cuál sea nuestro género.

El alma humana, por el contrario, encarna la individualidad en todos y en cada uno de nosotros y vive en nuestra vida subjetiva siendo la psique humana. El alma humana, nuestra consciencia, percibe nuestra realidad. Me gusta pensar en mi alma como algo que proporciona formas espirituales que le permite saber cómo se siente ser un humano y a los humanos saber lo que es el Espíritu. En otras palabras, el alma se encarna para revelar la cualidad de la naturaleza de Dios, que es Amor divino. En última instancia, te revela el objetivo de tu vida en toda creación. El alma humana equivale al principio femenino que está en todos nosotros, con independencia de cuál sea nuestro género.

Las correlaciones para el concepto de *alma* son la consciencia, el niño del Padre cielo y la Madre tierra (la consciencia cristiana), el ánima, la psique, el corazón. Cuando se une a nuestra personalidad, el alma encarnada adopta la forma del Yo arquetípico.

El *Yo* es la entidad que cobra vida en ti cuando tu alma y tu personalidad se unen. Es el arquetipo de ti como una expresión individual del Alma Espiritual. Es un ser espiritual encarnado que adopta la forma de cada una de nuestras personalidades. Tu Yo humano-divino es tu autenticidad y tu expresión singular de tu vida suprema.

El alma, como verás, no tiene forma. La personalidad está impulsada por el ego hasta que se une al alma. El ego impulsa nuestras decisiones y si elegimos la plenitud, activamos nuestro verdadero Yo para poder expresar ambos aspectos de nuestra naturaleza como un Ser mientras vivimos en la Tierra. Lo sacamos a la luz reconociéndolo y dándole el poder de tomar el control de las conductas limitadas de nuestro ego.

Las correlaciones para el concepto de *Yo* son una personalidad infundida de alma, el alma encarnada, el matrimonio de tu personalidad con tu alma, tu centro, tu naturaleza esencial, o la consciencia raíz, el arquetipo humano.

La *personalidad* es el nombre que nos damos, a ti y a mí, como personas individuales. Es tu cuerpo, la *persona* o la máscara que creas y portas para poder participar en la sociedad humana. Nuestras personalidades se desarrollan según una serie de valores culturales, sociales y familiares, y luego se comporta siguiendo su propio estado, hasta que tenemos que afrontar nuestro camino espiritual. Cada personalidad es única y, por tanto, es una expresión individual del Espíritu. Una personalidad integrada tiene un cuerpo sano, una serie de emociones equilibradas y una mente inteligente que piensa de forma realista. Cuando nuestros «cuerpos» físicos, emocionales y mentales trabajan juntos y en completa armonía, tenemos una personalidad integrada. La personalidad, entonces, está gobernada por un ego sano o por un ego herido.

Las correlaciones para la palabra *personalidad* son persona; yo (en minúscula), tu apariencia física individual y el cuerpo/ego.

El *ego* es el ejecutor de nuestras personalidades individuales. Su tarea consiste en cuidar de ti como individuo. Es el guardián de nuestras personalidades y decide lo que dejará que penetre en la mente como «realidad»; por esa razón, puede volverse tan limitado, egoísta e incluso grosero o peligroso para los demás. Tu ego inventará sus propios argumentos basados en sus experiencias en la vida; *cualquier cosa* que te mantenga a salvo o que satisfaga tus necesidades, no le importa nadie más que tú. Sin embargo, cuando es sano, se esfuerza por evitarte cualquier tipo de daño. Servirá al Espíritu. Cuando no es sano, se convierte en una sombra y se fragmenta en varias subpersonalidades. Sin un ego, no podríamos funcionar aquí en cuerpos individuales. Nunca debemos confundir la sombra de nuestro ego con un ego sanamente integrado.

La *sombra* es la inconsciencia, tu lado «oscuro». La sombra humana es la cara inferior de tu ego y representa todas sus partes insanas, inmaduras e inconscientes. Puede disfrazarse de muchas maneras y representar varias partes del drama que se despliega en tu vida. Cada fragmento de tu ego es una subpersonalidad creada por tu ego para conseguir que se satisfagan tus necesidades. En el capítulo 2 puedes encontrar algunos ejemplos de esos pequeños seres que forman un comité en tu psique y disfrutan tomando el control de tu vida.

Una *personalidad infundida de alma* es en lo que te conviertes cuando tu ego sano ha dejado paso a tu alma y permite que tu corazón sea el que impulse tus motivaciones y tu conducta de una manera conmovedora. Cuando es sano y está integrado, el ego se convierte en el chofer y en el navegador de alma en esta realidad material. El yo es una personalidad infundida de alma.

VIVIMOS EN SIETE NIVELES DE CONSCIENCIA

Cuando miramos en nuestro interior para explorar nuestra propia naturaleza, descubrimos cómo funciona la consciencia humana. Veremos que operamos en siete niveles diferentes de consciencia mientras vivimos en nuestro cuerpo humano[6]. Los tres niveles inferiores se corresponden con el desarrollo normal de una vida física, emocional y mental de nuestra personalidad. El ego domina a estos niveles, aprendiendo a estar en este mundo natural como una persona sana y socialmente aceptable. Un ego sano es necesario para que nos sintamos bien con nosotros mismos y para funcionar relacionándonos con los demás seres humanos. El desarrollo de nuestro ego es una tarea extraordinariamente sagrada: nunca podemos trascender un ego que nunca hemos desarrollado. Por tanto, nuestro desarrollo espiritual depende de la presencia de un ego sólido y sano.

Los primeros tres niveles de consciencia se convierten en la base sobre la cual tu corazón se puede abrir, que es el cuarto nivel de consciencia. Del corazón emana el primer estado de consciencia que va más allá de la forma de ser personal e impulsada por el ego. Este cuarto nivel de consciencia nos proporciona la capacidad de sentir y de saber lo que es cierto y, además, de sentir compasión por los demás. Tu ego puede mentirte, pero tu corazón nunca puede mentir. Para el corazón, las cosas son tal y como son. ¿No has probado alguna vez a ir en contra de tu corazón y emprender un trabajo o iniciar una relación que en realidad no es adecuada para ti? Ya sabes cómo te sientes; simplemente no funciona. A veces, incluso te escucharás a ti mismo decir: «Mi corazón no acepta esto». Nuestra mente consciente saboteará las decisiones que hayamos tomado que vayan en contra del corazón. Nos despediremos a nosotros mismos o destruiremos lo que podría parecer que era una buena relación.

Como el corazón sólo conoce la verdad, un corazón abierto sirve como el puente que conduce hacia los tres niveles superiores de consciencia, la vida de nuestra alma: el nivel cinco es donde tu creatividad y tu imaginación activa cobran vida. El nivel seis vierte tus emociones supremas que te inspiran con intensas sensaciones de compasión por la humanidad y un deseo de servir a los demás. A continuación, cuando funcionas en los niveles superiores, el séptimo nivel de consciencia, te sientes unido a un Poder que es mayor que tú; tienes experiencias místicas de unión y de puro éxtasis al saber quién eres verdaderamente. Y te das cuenta de que eres un actor vital en un divino drama mundial, que da a la vida un sentido de significado y de objetivo sagrado.

Cuando tu corazón está cerrado, estos tres niveles superiores de funcionamiento están cerrados; no porque no existan, sino porque no pueden encontrar la entrada hacia tu conocimiento consciente. Un corazón cerrado es un sentimiento muerto. Nada te ilusiona; te cuesta sentir amor hacia nada ni hacia nadie. Te sientes pesado, plano y vacío, todo a la vez; cada vez que te sientas de esta manera, detente y pregúntate qué es lo que te ha sucedido para que se cierre tu corazón. Normalmente, es el miedo; algo o alguien que te ha amenazado. Los corazones cerrados crean vidas vacías. Por tanto, debes profundizar y descubrir qué es lo que te produce miedo.

Estoy hablando de estos siete niveles de consciencia de una manera lineal, pero nos movemos hacia arriba y hacia abajo, y alrededor en esta escalera de experimentación humana/divina, dependiendo de nuestras circunstancias en la vida en un momento dado. Nos «anclamos» más en el corazón y nos unidos a los niveles inferiores y superiores cuando nuestro ego necesita satisfacerse y hemos aclarado gran parte de nuestro pasado.

Debes poder tener acceso a tu sabiduría innata de experiencia que sabe cómo vivir más allá del ego, embelesada con la vida, para poder alcanzar eternamente la satisfacción personal. Vivir únicamente una vida impulsada por el ego nunca podrá gratificarnos.

Cuando no somos capaces de acceder a estas formas superiores de la expresión de alma, nos quedamos con una especie de sensación de vacío. Comer en exceso, dar rienda suelta a las fantasías sexuales y consumir productos químicos son algunas de las conductas a las que nos empuja. Las necesidades de todos los niveles deben satisfacerse para que podamos alcanzar la satisfacción personal.

Éstas son las necesidades de todos los niveles. Advertirás que el cuarto nivel de consciencia es el puente entre tu ego y tu vida con alma.

LA FUNCIÓN DE LOS CHAKRAS

La vida interior de tu alma

Séptimo chakra: aceptar la intuición = alinearse con el Poder Supremo.

Sexto chakra: evocar la inspiración, la compasión y un deseo de servir a los demás.

Quinto chakra: incitar la imaginación creativa y el pensamiento abstracto.

Cuarto chakra: abrir el corazón (el puente a la consciencia superior).

El desarrollo de tu ego

Tercer chakra: desarrollar una vida mental notable y clara.

Segundo chakra: desarrollar un equilibrio emocional = sexual = naturaleza de relaciones.

Primer chakra: satisfacer las necesidades básicas de seguridad.

Cada uno de los chakras representa un nivel diferente de consciencia. La psicoterapia convencional se concentra principalmente en los chakras primero al tercero. En una psicología de plenitud, junto con el trabajo en el desarrollo de nuestro ego, tenemos que concentrarnos en acceder a los cuatro niveles de consciencia transformacionales superiores.

Tienes el poder de acceder a la totalidad de tu auténtico Yo y así vivir como ese Uno. Debes centrarte en tu Yo para acceder a tu Poder Supremo. Un ego que no esté equilibrado no puede acceder allí. La aceptación de que tu naturaleza es humana y divina te lleva a ver que el transformador de tu consciencia siempre se encuentra dentro de ti. La transformación no tiene lugar fuera de ti. A través del poder del trabajo interior puedes crear la transformación desde dentro.

4

LOS MÉTODOS DE TRANSFORMACIÓN

Uno no debería rendirse, abandonar u olvidar durante
un instante su vida interior, sino que debe aprender a trabajar
en ella, con ella y fuera de ella, para que así la unidad de su
alma pueda destacar en todas sus actividades

MEISTER ECKHART

LOS PROCESOS PSICOESPIRITUALES DEL TRABAJO INTERIOR

Los métodos de transformación son las «herramientas de trabajo» de cualquier tipo de labor psicoespiritual. Éstos son los procesos que permiten acceder al pleno Yo, no sólo al intelecto y no sólo a tus emociones. Tú participas de manera consciente y voluntaria en experimentar verdaderamente lo que está sucediendo en tu interior y asumes toda la responsabilidad de todo lo que suceda. Una parte de este trabajo la puedes realizar en solitario a través de cualesquiera de los métodos que se mencionan más abajo. Pero resulta conveniente trabajar con grupos que acuden a talleres y que lleven a cabo esos procesos en la compañía de personas que piensan como tú. Te sentirás autorizado para ser un buscador de conocimiento personal y te encontrarás menos solo. También aprenderás más de esta manera escuchando las experiencias de los demás.

En un proceso transformacional te conviertes verdaderamente en una persona diferente *en vivo*, viviendo en toda una nueva dimensión de tu consciencia donde los viejos patrones que te ocasionaban tantos problemas simplemente no existen. Cuando «mueras» para esos viejos patrones, adquirirás una fuerza interior y una sabiduría que proceden de cada «muerte».

Éstos son algunos de los procesos que te transformarán:

El poder de los viajes musicales. Éste es uno de los métodos más notablemente efectivos que conozco, ya que la música tiene el poder de liberar tu cerebro de los viejos recuerdos y temores que se han aferrado en ti. ¿Y a quién no le gusta la música? Este proceso es un viaje musical contemplativo hacia la psique que atraviesa el sendero de los recuerdos. El viaje puede durar quince minutos o dos horas, dependiendo de tu capacidad para crear una pieza musical que evoque los recuerdos.

La música, que no tiene palabras en nuestro idioma, no programa la psique con mensajes procedentes de autoridades externas. Es una herramienta de proyección que transporta al participante, que abarca desde los cánticos y tambores aborígenes hasta piezas melódicas complejas que recuerdan al ego su vida terrenal, tal y como hacen las bandas sonoras de las películas. A continuación, puedes cambiar la música y escuchar una pieza melódica que te abra el corazón. Por último, puedes concluir la sesión con una mayor consciencia musical que te proporcione inspiración, revelaciones y recuerdos de tu conexión sagrada con el Espíritu.

Viajar con el alma a través de la música te permite acceder a tu mente inconsciente y sanar los problemas pasados que todavía necesitan identificarse y aclararse de manera consciente. Mientras viajas a través del paisaje interior hasta la música, accederás a recuerdos que son difíciles de alcanzar y a patrones que están manteniendo actitudes y conductas disfuncionales. Y esto sucede de manera natural, como si la música en sí estuviera haciendo todo el trabajo. Muchas veces, los viejos problemas se sanan con sólo pasar a través de ellos mientras los observas «desde arriba». Este método revela mágicamente la sagrada importancia que tienen los acontecimientos que hay en tu vida, tu historia en general. Una vez identificados, estas revelaciones integradoras evocan el perdón y la compasión hacia ti mismo y hacia las demás personas que podrían haberte hecho daño en el pasado. Este proceso sirve para eliminar la sensación de vergüenza y de culpabilidad, los dos principales obstáculos para la sanación de cualquier persona.

La música es una herramienta de transformación poderosa no sólo desde el punto de vista psicoespiritual, sino también desde el punto de vista físico. Consigue acceder a recuerdos celulares y a otras heridas físicas del pasado que se encuentran dentro del cuerpo. Las investigaciones demuestran que la música se abre paso a través de nuevos caminos neuronales a través del cerebro, donde convergen los recuerdos y las emociones. Penetrar en la mente a través del sonido de tambores evoca un estado meditativo de consciencia, llevándonos más allá del intelecto. Pasando a través de varios tipos de música, con bandas de frecuencia que se vuelven cada vez más complejas, y luego escuchando música más suave mientras avanzas a lo largo del viaje, ofrece al oyente una manera de «sincronizar la fase» con ciertas frecuencias que los sanan o les recuerdan su pasado y los despiertan a las inspiraciones espirituales y a las revelaciones acerca de su vida en general [7].

La música es una pasión universal que llega directamente al alma de una manera completamente libre de juicios. El alma ya conoce este tipo de trabajo. Por tanto, es inmediatamente reconocida y amada por aquellos que la experimentan.

Escribir un diario sobre el proceso. Empezando ahora mismo, puedes escribir un diario, uno que sea lo suficientemente pequeño como para poder llevarlo contigo cada vez que salgas. Yo a esto lo llamo mi «librito». Lo utilizo para anotar cualquier cosa que me viene a la cabeza durante el día que contenga una reacción emocional o sentimientos que tengo que explorar. Me detengo, tomo nota de aquello que me está inquietando y me limito a dejar que mi mano exprese todo lo que me viene. Es la verdadera expresión que descarga cualquier sentimiento reprimido que pudiera querer salir a la luz. Este proceso mantendrá tu psique clara, con el regalo añadido de ayudarte a asociar la causa y el efecto de tu reactividad emocional. «¿Qué ha sucedido para que me sienta de esta manera?», te preguntarás. Y luego lo respondes. Así es como funciona. No hace falta que nadie llegue a ver tu «librito», salvo tú. Cuando acabes uno, puedes limitarte a tirarlo. Ya ha hecho su trabajo.

También puedes tener lo que se llama «un libro grande». Es otro tipo de diario que acompaña a tu proceso de redacción del «librito». Es el lugar donde registras afirmaciones, citas, revelaciones, interpretaciones de sueños y cosas parecidas que sean importantes para ti. Las obras de arte y el dibujo de símbolos también se pueden incluir en el libro grande. Tienes que conservar este libro. Es tu libro de inspiraciones. Personalmente, lo que se recoge en mi «libro grande» inspira a los libros y a los artículos que escribo. Tu «libro grande» está lleno de un material que alimenta tu alma.

La meditación. La meditación no consiste únicamente en «sentarse pasivamente adoptando la posición del loto», aunque es la forma de meditar más conocida por todos. Este método funciona en muchas personas, pero no en todas. Caminar por el campo, correr, montar en bicicleta, hacer ejercicio, escuchar música o escribir poesías podría funcionar mejor. Puedes encontrar una manera que sirva para tu caso. La meditación es el camino que conduce interiormente hacia un estado no ordinario de consciencia donde se pierde el sentido del tiempo. Es una forma de abandonar tu estado despierto ordinario y de profundizar más en tu psique. Sabrás cuándo has estado meditando porque consultarás al reloj y te darás cuenta de que ha pasado una hora cuando creías que sólo habían transcurrido diez minutos. Por tanto, debes encontrar el método que te lleve a vivir esta experiencia en la que «el tiempo se distorsiona y tu estado se altera», y te darás cuenta de que has estado meditando.

Ejercicio de imaginación guiada para la música. Éste es un proceso que tendrás muchas oportunidades de experimentar a lo largo de este libro. Después de cada Principio de Plenitud se incluye un ejercicio de imaginación guiada, ya que es uno de los métodos de transformación más sencillos de utilizar mientras estudias un libro. No tienes más que seguir mis instrucciones mientras estudias cada ejercicio de imaginación. Puede que tengas que grabar el ejercicio de imaginación y escucharlo de nuevo mientras lo experimentas. Elige cualquier tipo de música de fondo que desees para llevar a cabo el proceso mientras miras en tu interior. Sólo tienes que asegurarte de que escuchas una música instrumental o vocal que no contenga palabras que se puedan comprender.

Obras de arte simbólicas. Después de llevar a cabo un trabajo interior a través del viaje con el alma o del ejercicio de imaginación guiada empleando la música, resulta muy eficaz anotar algo en un papel que sea una especie de ilustración que despierte tu interés. No se trata de que seas un artista, sino de realizar una expresión simbólica, que es el modo en el que el alma se dirige a nosotros. Simplemente deja que llegue hasta ti cualquier cosa que tu mano quiera dibujar o pintar y que exprese lo que acabas de adquirir de tu trabajo interior. Te sorprenderá ver los resultados; es como si tu mano estuviera conectada a tu psique y supiera cosas que no conoces de manera consciente. Cuanto más espontáneo e «inconsciente» seas, mejor.

El poder de la invocación. La invocación es el simple acto de llamar a tu guía espiritual interior, o a Dios, para conseguir aquello que estás buscando. Es una forma cocreativa de rezar, y no un pasivo «Por favor, amado Dios, ayúdame». Es un mandato enérgico para que «Me envíes instrucciones sobre cómo ser más...», cualquier cosa que desees. Tu actitud es la de un cocreador con la fuerza de Dios, no la de una pobre criatura indefensa que necesita que Dios haga las cosas por ella. La invocación se considera que es la oración de la Nueva Era. Estamos aprendiendo a asumir la responsabilidad de ser cocreadores responsables; asumiendo «la tarea» que debemos hacer.

El poder de la «Indiferencia Divina». Puedes aprender a apartarte de la reacción a las cosas que hay en la vida a través de tu disposición a mostrarte indiferente a los resultados de las cosas que nos son esenciales. Esto se refleja en el «dejarse llevar y dejar que Dios actúe» que caracteriza al trabajo de los Doce Pasos. Está renunciando al control y aprendiendo a no tomarse las cosas desde el punto de vista personal. Es una práctica espiritual que permite a las personas ser lo que verdaderamente son y que la vida les traiga lo que les tiene que traer, con su aceptación divina de ser lo que es. Ésta es una práctica espiritual muy importante, una práctica con la que todos salimos beneficiados, que evitará que tu energía psíquica se vea atrapada en las cosas no esenciales o en los «asuntos» de otras personas.

La observación personal radical o «ver doble». Utilizar tu Yo Observador mientras van pasando los días es la clave para todas las almas que se están despertando. Sin un Yo Observador intacto, nunca podremos volvernos conscientes. Es el proceso de observar lo que haces mientras lo haces. Ser un Testigo Justo es el modo en el que tu verdadero Yo habla contigo: nunca juzga; sólo señala lo que estás haciendo. «Por favor, date cuenta de que en este momento estás abroncando a tu hija. Podrías desear calmarte porque está buscando una excusa para abandonarte». «Por favor, observa que te estás dirigiendo hacia tu oficina cuando tenías pensado conducir hasta la casa de tu vecino». Tu Yo Observador simplemente es la luz que aparece y te toca suavemente el hombro, invitándote a permanecer despierto y consciente del Yo.

Mientras aprendes a utilizar a tu Yo Observador, si te escuchas a ti mismo hacer un juicio o una autocrítica severa, elévate por encima de esa situación y obsérvala también. ¿Quién está hablando? Simplemente toma nota. Ése no será tu Yo Observador, sino que será una especie de figura autoritaria crítica, que es uno de los estados del ego. Tu Yo Observador vive más allá de tu ego. Es la voz de tu Yo pleno, de tu alma encarnada.

Podemos aprender a vivir toda la vida mientras «vemos doble» de esta manera: tú eres la única persona que lo está experimentando al mismo tiempo que lo estás observando. Tú eres tu ego y tu alma al mismo tiempo. Esto permite que unas tus dos naturalezas para que puedan trabajar en armonía con el fin de mantenerte despierto. Este verdadero Yo es el matrimonio entre tu ego y tu alma.

Los tres elementos más importantes que debes observar como práctica diaria son los siguientes:

• Cuando te has «marchado» y has dejado de ser tu verdadero Yo. (Observa qué personalidad ha pasado a tomar el control.)
• Cuando tienes una reacción excesivamente emocional por causa de algo. (Observa qué es lo que ha hecho que esto suceda.)
• Cuando, en una relación, comienzas a comportarte de manera necesitada, defensiva o conflictiva, o descubres que estás tratando de justificar o de excusar tu comportamiento. (Observa qué es lo que ha activado esta conducta en ti.)

Cualquier cosa que aprendas de alguna de estas observaciones se convierte en datos que puedes incluir en tu «librito».

La revisión de cómo ha sido el día. Cada noche, antes de acostarte, dedica unos cuantos minutos a sentarte y a reflexionar sobre cómo ha ido el día, empezando por el momento en el que ahora te encuentras y retrocediendo a lo largo de todo el día hasta llegar al momento en el que te levantaste esa mañana. Observa qué es lo que aparece en la pantalla interior de tu conciencia. Todo eso serán los acontecimientos o los intercambios que no se integraron: las experiencias que tenían cierto contenido emocional o cierto componente conflictivo que todavía están flotando sin procesar alrededor de tu psique. Este tipo de revisión te ayudará a completar cualquier cosa que todavía siga sin finalizar, de tal modo que puedas dormir con mayor profundidad y no sigas acumulando problemas que atasquen tu consciencia.

Una vez que hayas finalizado la revisión, toma nota de todo lo que todavía tienes que aceptar o perdonar y trata por todos los medios de liberar todos esos sentimientos reprimidos antes de irte a la cama. Algunas veces, basta con ser consciente de las cosas para completarlas, pero otras veces es necesario llevar a cabo un mayor trabajo de limpieza emocional. Cuanto más puedas limpiar tu psique cada noche antes de acostarte, con mayor claridad mental podrás empezar el día siguiente. Esto puede convertirse en una habitual práctica espiritual nocturna.

Estos ocho métodos que he mencionado arriba, por sí mismos, te proporcionarán una experiencia directa del trabajo interior que debes llevar a cabo y te ayudarán a mantenerte consciente de ti mismo y a mantener tu psique clara. En el apéndice 1 encontrarás una relación de varios ejemplos de los procesos de transformación que puedes experimentar, algunos por ti mismo y otros en un trabajo de grupo. No suceden en una relación lineal y te sentirás más atraído hacia algunos de ellos que hacia otros en distintos momentos de tu viaje.

Para ver una lista de otros tipos de procesos de transformación que te ayudan a sanar las emociones y a llevar a cabo una transformación espiritual, véase apéndice 1, página 243.

COMPRENDER EL LENGUAJE DE SÍMBOLOS DEL ALMA

Tu alma es un ente creador muy ingenioso, es todo un «imaginador». El dispositivo de creación de imágenes de tu mente es un indicador de tu divinidad. Sin lugar a dudas, es un poder dado por Dios y te llevará más allá de cualquier cosa que tu ego sea capaz de inventar. Para percibir el mundo interior a través de los ojos del alma y, a continuación, penetrar en su interior con intención expresa, es necesario enamorarse de las realidades simbólicas, donde la metáfora, el mito y el símbolo son la norma habitual. Tu ejercicio de imaginación creativa interior se despertará —que es el quinto nivel de consciencia— y comenzarás a moldearte a ti mismo en el ideal que ves en tu mente. La imaginación creativa de tu alma es lo que hace que tu vida subjetiva se focalice todavía más. La imaginas. Así es como «piensa» el alma. No tienes más que darte cuenta de ello: *¡Nunca puedes tener lo que no puedes imaginar!* ¡Y todo lo que hagas, lo habrás imaginado antes! Esto nos ayuda a comprender lo importante que es la imaginación creativa para nosotros.

Los símbolos son mensajeros que proceden de un plano superior, portadores de significado y de energía. Tu alma te habla a través de los símbolos.

Para interpretar el significado de un símbolo, este proceso podrá servirte de ayuda:

1. *Acude a su encuentro interiormente.* Obsérvalo en tu alma y llámalo por su nombre. Examínalo, haz un dibujo de él, míralo en profundidad. Esto hace que se materialice, que adquiera una forma a través del proceso de reconocimiento. Una vez hecho eso, conseguirá impactar en tu psique.

2. *Respóndele.* Piensa en él, siente como si fueras él. En esta fusión adquiriremos sus cualidades y llegaremos a conocerlo.

3. *Aplícalo a tu vida.* Ahora puedes dirigir su uso en este mundo con el significado que le des. Toma nota de los conocimientos que proporciona acerca de una situación actual en la vida o sobre cómo responde a alguna pregunta que le hayas planteado. A continuación, vive en consecuencia.

Los símbolos abren las puertas y nos señalan nuevos rasgos característicos relacionados con nosotros mismos. Un símbolo se convierte en una clave que te permite acceder a varios compartimentos de tu Ser que es posible que nunca tengas otra manera de comprender. Son mensajeros sagrados procedentes del mundo de nuestra historia general.

LA CIENCIA DEL ALMA

Para conseguir que este proceso sagrado se convierta en algo pleno, tenemos que pasar de la dependencia de una ciencia empírica basada en todo lo externo al modelo interno de la *realidad psíquica*. Por tanto, acudimos a la ciencia del alma, ya que sólo a través de nuestra vida interior de los sueños, visiones y revelaciones podemos escuchar las intenciones del alma.

¿Qué es exactamente una *realidad psíquica* o la ciencia del alma? Es cualquier cosa que proporcione una respuesta emocional o algún efecto numinoso en tu psique; que lo llegues verdaderamente a sentir. Una *realidad psíquica* es algo que *sucede realmente*, no sólo en tu vida exterior, sino también en tu psique, o en tu vida subjetiva. Una realidad psíquica evoca cierto conocimiento nuevo u otra forma de sentir acerca de algo, llevándote a un nuevo lugar dentro de ti mismo. Has valorado cierta cosa o has mantenido una opinión firme y ahora, gracias a un profundo reconocimiento, toda la escena cambia y lo que antes era importante para ti ahora se ha vuelto irrelevante. También es posible que te sientas un poco avergonzado sobre lo crítico o lo testarudo que has sido, ahora que esa tendencia a juzgarlo todo ha desaparecido. Obviamente, si algo verdaderamente nos cambia, debería considerarse como real.

Algunas veces, mientras llevamos a cabo un proceso de trabajo interior, cierta presencia majestuosa invisible o revelación mística penetra en tu psique y genera un intenso sentido de lo sagrado. La gente llama a esto «experiencias religiosas». Estas experiencias directas de lo sagrado son el presagio de un despertar espiritual. Como buen ejemplo de ello, el fundador de Alcohólicos Anónimos, Bill W., tuvo una experiencia de «luz blanca». O recuerda el «arbusto ardiente» de San Pedro. O el sueño del símbolo de la doble hélice que tuvo el científico Francis Crick y que le permitió desarrollar la estructura arquitectónica Watson-Crick del ADN por la que fueron galardonados con el Premio Nobel.

Una vez tuve una experiencia numinosa que me enseñó que no existe la muerte, sólo la transformación. Durante un viaje del alma musical, recibí la visita de un Triángulo de Luz. Con mi ojo interior, vi la Vida y la Muerte sentadas una frente a la otra en los dos lados inferiores del triángulo. Mientras las observaba, comenzaron a balancearse hacia delante y hacia atrás, mientras la Vida (que tenía el aspecto de Campanilla) derramaba luz sobre la Muerte hasta que, de repente, la parte superior del triángulo emitió una luz cegadora y allí apareció un feto metido dentro de un útero. En seguida me di cuenta de que no hay eso que llamamos muerte, sino sólo un constante renacimiento en un plano superior.

Este tipo de experiencias interiores enriquecedoras nunca te abandonan. Y nadie puede arrebatártelas. Dejan impresas en tu mente una serie de imágenes imposibles de olvidar que te enseñan muchas cosas, y todo al mismo tiempo. Estas experiencias afectan a tu psique de una manera que te cambian para siempre. En los próximos capítulos, mientras practicas los ejercicios de imaginación guiada, es muy probable que tengas una o más de esas experiencias numinosas.

El psicólogo suizo Carl Jung dijo que nuestra lógica puede contemplar esas realidades interiores, pero no puede llegar nunca a eliminarlas completamente, ya que *son la cosa más real que hay en nosotros*. A través de la ciencia del alma, comenzamos a ver nuestra vida exterior como el reflejo del estado actual de nuestra alma en su descenso hacia la materia. Dejamos de tomar la vida externa como si fuera la totalidad de nuestra experiencia.

EXPERIMENTO, EXPERIENCIA, EXPRESIÓN

No basta con limitarnos a preguntar acerca de esta realidad interior en ciernes y, a continuación, observar tranquilamente cómo se difumina, ya que los sueños y los mensajes interiores son propensos a ello. Cada uno de nosotros debe estar dispuesto a «asimilar» estas experiencias interiores y a extraer una serie de conclusiones acerca de lo que nos está contando el alma.

A través de un ejercicio de imaginación guiada, de los viajes musicales del alma, de la meditación, de la oración de centralización y de otros métodos que nos permiten penetrar en nuestro interior, asumimos apasionadamente estos contenidos interiores de nuestra mente y registramos todo lo que recibimos, ya sea a través de los viajes, de las obras de arte o de hablar en una grabadora. En cierto sentido, nos convertimos en nuestro propio proyecto de ciencias. Ésta es la fórmula:

- Prepara el **Experimento** eligiendo un método de introspección.
- **Experimenta** lo máximo posible todo lo que aparece de manera espontánea en tu mente o en la pantalla interior de tu consciencia.
- **Exprésalo**. Se un dato viviente, un representante de las realizaciones, de los ideales o de la sabiduría adquirida de tu experiencia interior.

Éstas son las «tres E» de la ciencia del alma. A medida que empiezas a real-izar (a hacer real) tu vida interior de sueños, visiones, conocimiento intuitivo y reflexiones, cada vez se vuelve mejor: comenzarás a reconocer que verdaderamente eres un cocreador; que el Yo es un Ser dinámico y evolucionado que participa de su propia cocreación. Y aprendemos que existe una espiritualidad intrínseca que se siente y se experimenta como una *realidad psicológica*. Tu vida espiritual comienza a «mostrarse» desde dentro hacia fuera, como si se tratara la obra de un marcador mágico. Tu vida interior y tu vida exterior se convierten en una sola cosa.

5

LOS PRINCIPIOS DEL YO

Debes conocer el todo
antes de poder conocer las partes
y lo superior antes de poder
entender verdaderamente lo inferior.

SRI AUROBINDO

MIRAR EN EL INTERIOR DE UNO MISMO

En nuestro paisaje interior, en estados de profunda meditación y recuerdos, sobrepasamos tanto el tiempo como el espacio. Podemos ir a cualquier parte que se haya llegado a imaginar en este universo. El trabajo interior es tanto psicológico como espiritual y te lleva tanto hacia atrás como hacia delante en el tiempo, dependiendo de qué es lo que tu psique decide que necesitas en el momento en el que reúnes todo tu Ser. Puedes considerar el trabajo interior como una forma activa de meditación.

Cuando utilizas métodos psicoespirituales de trabajo interior, como el ejercicio de imaginación guiada o el viaje del alma a través de la música, tu consciencia puede viajar hacia atrás en el tiempo para recordar aquellas partes perdidas de ti mismo, o para ir todavía más atrás y ponerte en contacto con tu linaje ancestral. Por el contrario, también puedes viajar hacia delante en el tiempo y adquirir un entendimiento a través de la experiencia directa de cierto potencial que todavía no hayas descubierto, o puedes recibir un mensaje de tu alma sobre la obra de tu vida emergente. Adquirir revelaciones relacionadas con tu potencial que aún está por descubrir, o con el objetivo que te has marcado en esta vida, es un trabajo espiritual. Ambos procesos son sagrados. Las partes perdidas y el potencial en desuso hacen que seamos unos prisioneros o que limitamos la expresión de nuestra alma. Allá donde vayas, te expandirás en una mayor plenitud.

Hasta que no hayamos hecho consciente y poseído todo —no «arreglado», sino que poseído y aceptado tal y como es o fue— todavía tendremos la necesidad de experimentar más sanación. *Tu psique no está buscando la perfección, sino que está buscando la finalización.* Este viaje interior hacia tu Fuente exige que todos y cada uno de los aspectos relacionados con tu mente inconsciente se vuelvan plenamente conscientes. Algunos problemas y materiales reprimidos que aparecen para que los puedas ver se integrarán con suma facilidad, mientras que otros pueden crear temores y hacer que te pongas a la defensiva. Francamente, es la resistencia a ese proceso lo que crea la mayor cantidad de dolor.

Una vez que has reconocido algo, que lo experimentas en toda su plenitud y lo posees verdaderamente *tal y como es*, éste se muestra por sí mismo. Has hecho que se convierta en algo consciente. Tu psique ahora estará libre de la carga que hay alrededor de este problema y que estaba haciendo que reaccionaras de cierta manera. Una vez que se conoce, este problema dejará de atraer tu atención o de consumir tu energía psíquica. Así es como se produce la sanación emocional. Ésta es la importancia del trabajo interior.

Para ti, que experimentas por primera vez un trabajo interior, todo esto te puede sonar un poco «extraño». Los viajeros más experimentados pensarán que simplemente me estoy limitando a describir con palabras lo que ellos ya conocen hace tiempo. El trabajo interior es el proceso de vivir subjetivamente a través de todos los juicios y el júbilo que conlleva la realización del Yo. Para aquellos que sean nuevos en este proceso, se sentirán fascinados por los tesoros que había enterrados en el inmenso paisaje interior de su psique. Y, créeme, un encuentro con tu verdadero Yo siempre es una conmoción enorme: eres mucho más amplio y maravilloso de lo que habías imaginado. Pero hasta que no conozcas a tu Yo desde tu propia experiencia directa, tendrás la tendencia de mirar en el exterior para encontrar algo que te complete.

LA VIVA REALIDAD

Los Doce Principios que estás a punto de estudiar y de conocer de manera empírica no son simplemente conceptos intelectuales, ni tampoco están extraídos de ningún camino religioso ni del mundo de los grandes filósofos. Son la viva realidad. Cada uno de ellos es un «pensamiento semilla» que germinará en tu mente como una idea inspiradora y florecerá cada vez que necesites que uno de ellos te guíe en tu vida. Se han destilado del trabajo interior de muchas personas que los consideraron como principios reveladores que nos permiten avanzar hacia la plenitud de una manera sana y positiva. Cada vez que violamos uno de los Principios, caeremos en la fragmentación y «nos saldremos de la marca».

Existe una Lección de la Vida y un ejercicio de imaginación empírica que acompaña a cada uno de estos Principios Personales. El ejercicio de imaginación guiada nos permite acceder a la memoria celular y modificar nuestra programación neuronal. Es un proceso capaz de sanar tanto los problemas de tipo físico como los de tipo emocional. Los ejercicios que contienen cada uno de los Principios te invitan a experimentar con profunda reflexión aquello para lo que está diseñado cada ejercicio de imaginación. Estos ejercicios pueden producir sensaciones físicas o desatar una emoción bloqueada. Pueden llevarte a un estado contemplativo donde podrás ver tu historia en general o adquirir más entendimiento acerca de algún problema o patrón que haya en tu vida. Cuando somos capaces de experimentar la imagen global de cualquier cosa que suceda en tu vida biográfica, será una experiencia sanadora y ya nunca más nos lo tomaremos de manera personal.

Estamos continuamente filtrando, almacenando, aprendiendo, recordando o reprimiendo el material que penetra en nuestra mente. El cerebro se ilumina siguiendo el mismo patrón neuronal que se produce cuando se vive una experiencia real o un recuerdo; el cerebro físico no es capaz de diferenciar lo que es real de lo que es una visión. Por esta razón, el ejercicio de imaginación guiada y las terapias basadas en la energía son tan poderosos en el proceso de sanación de una persona.

Los diversos tipos de entrenamiento, como los ejercicios de visualización, ayudan a llevar la información pertinente a un nivel de autoconciencia. Pero nunca podemos saber de manera intelectual cómo se cambia algo; tu mente inconsciente es todopoderosa, lo sabe todo y se puede aprovechar para sanar o para cambiar sin que la mente consciente llegue a descubrir qué es lo que ha sucedido[8].

Cada uno de los principios que estudiarás aquí corrige una ilusión dolorosa que está relacionada con la vida o con el Yo que puedes haber llevado en tu interior desde que eras un niño. Estas ilusiones o reacciones emocionales pueden haberte protegido de algún modo en el pasado y por esa razón las retienes. La programación del alma debe ser la adecuada y tu personalidad debe mostrarse receptiva a una nueva verdad o a una nueva forma de sentir para penetrar a través de las defensas de tu ego. Si algo que has leído no te dice nada directamente, déjalo correr. Puede que en este momento eso no sea importante para ti.

Si un Principio en particular no te dice nada directamente, probablemente te estará ayudando a completar la Lección de la Vida que te concierne en este momento. Lo mismo se puede decir si experimentas una intensa resistencia hacia uno de ellos. Quizás el mensaje que repeles te está señalando un rasgo característico de tu sombra, algo que preferirías no afrontar. O puede que esté señalando a una adicción emocional que estás albergando inconscientemente en tu interior. Por tanto, debes tomar nota si reaccionas intensamente ante cualesquiera de las Lecciones de la Vida que se presentan aquí. Observa si eres capaz de superar tu resistencia y de alcanzar la verdad subyacente de tu intensa reacción emocional. Todo lo que se ofrece aquí está diseñado para aumentar tu bienestar.

ENTREGAR LA MENTE AL AMOR

Para estar dispuesto a desarrollar y a cambiar, tu mente tiene que abrirse y aprobar tu búsqueda. Tu mente es un instrumento increíble. Sirve como un filtro entre tu vida consciente y tu vida inconsciente, definiendo qué cosas son aceptables y reales. Si resulta que está llena de falsas ideas, limitaciones o temores acerca del trabajo interior personal, creará un límite mental y te verás atrapado en un punto que te impedirá experimentar cualquier tipo de desarrollo personal. Tu mente tiene el poder de hacer que te mantengas atrapado en el modo en el que ha moldeado la realidad. Como ya mencioné anteriormente, los médicos modernos y los estudios llevados a cabo acerca de la conciencia humana nos revelan que el pensamiento es el que crea la realidad. Por tanto, es posible que tengas que renunciar a cualquier limitación mental firmemente concebida para abrazar los siguientes Principios de Plenitud.

Tu mente debe conceder permiso a tu corazón para que pueda penetrar. Conozco a muchas personas que tienen miedo de sus sentimientos y, como consecuencia de ello, vive en un corazón cerrado, lleno hasta el borde de emociones que están sin procesar. No hay una mejor forma de abrir la mente a la verdad que entregar nuestra mente al Amor Divino. Puedes realizar la siguiente afirmación en cualquier momento, incluso ahora mismo:

Estoy dispuesto a acabar con cualquier dogma mantenido
firmemente o
con cualquier creencia que no haya examinado
y a permitir que la verdad
de mi ser se muestre ante mí.

A continuación, veamos otra limitación mental: si no eres capaz de aceptar el hecho de que tienes la posibilidad de realizar un cambio profundo, no podrás entregarte en cuerpo y alma a ningún trabajo interior necesario. Aunque todavía no creas completamente en ello, el acto de realizar una y otra vez esta afirmación comenzará a reconfigurar tus procesos de pensamiento.

UNA NOTA SOBRE LA PRÁCTICA DE LOS EJERCICIOS DE IMAGINACIÓN GUIADA

Para obtener los mejores resultados en la ejecución de los ejercicios de imaginación guiada que aparecen en cada uno de los capítulos, puedes grabar tu propia voz leyendo cada uno de los ejercicios de imaginación y, después, encontrar un lugar tranquilo donde puedas mirar en tu interior y escuchar las instrucciones que proceden de tu propio Yo. O bien puedes pedir a alguien que se encuentre cerca de ti que te lea el ejercicio de imaginación. Cualesquiera de esos métodos te proporcionará la oportunidad de profundizar en la experiencia meditativa para la que cada ejercicio de imaginación está diseñado.

Advertirás que en cada ejercicio de imaginación hay cuatro puntos después de algunas líneas. Su intención es crear pausas durante algunos segundos, dando tiempo a que tu psique absorba la esencia de cada imagen o afirmación sugerida.

* * *

Por tanto, a continuación comenzaremos a profundizar en este proceso, a lo largo de los próximos doce capítulos, utilizando los Doce Principios del Yo que guardan relación con tu despertar en tu vida diaria. Estos Principios satisfarán las necesidades tanto de tu ego como de tu alma, para que así ninguna parte de tu ser permanezca desatendida.

Ésta es una oración de transformación que puedes recitar cada noche al final del día, para mantenerte en contacto con la realidad absoluta:

> *Que la realidad gobierne todos mis pensamientos*
> *y que la verdad sea el corazón de mi vida.*
> *Así es como debe ser —especialmente ahora—*
> *y debe ayudarme a cumplir con mi tarea.*

Una forma de trabajar con estos Principios es coger uno por cada mes del año y ponerlo en práctica en tu vida durante todo el mes. Puedes estudiar estos Principios combinándolos con la aplicación de tu consciencia del Yo Observador, utilizando tu «librito» para registrar tus reacciones y tus comentarios, y luego concentrándote cada noche en realizar una revisión diaria. Con ello, en el periodo de un año, o menos, no tendrás problemas en convertirte en lo que deseas ser. Vivir estos Principios y realizar estos ejercicios te conducirá de forma natural al siguiente paso: a la encarnación de tu Yo superior en tu vida cotidiana.

En este momento existe una oportunidad inusitada de sintonizar durante un instante con tu mundo interior y de volverte hacia el interior para conocerte a ti mismo. Has escuchado muchas cosas acerca de la verdad de tu Ser. Ahora es el momento de encaminar tus pasos hacia ello.

> El trabajo del ojo ha finalizado; ahora ve
> y realiza el trabajo del corazón.
>
> RAINER MARIA RILKE

6

EL PRIMER PRINCIPIO PERSONAL

«Somos divinos y, a la vez, humanos»

En este mundo no existe un espíritu separado
de la materia; el universo está compuesto
de espíritu-materia. Ninguna otra sustancia
aparte de ésta es capaz de producir la molécula humana.

PIERRE TIELHARD DE CHARDIN

NOSOTROS, LOS SERES HUMANOS, somos una especie híbrida que está formada tanto de espíritu como de materia. Los místicos a lo largo de los siglos siempre han sabido esto. Y, en la actualidad, los científicos están asumiendo este concepto. Darse cuenta de que eres humano y a la vez divino es un acto de recuerdo personal que da lugar al principio base de todo a lo que aspiras hacer y ser. Este nuevo impulso evolutivo está despertando en nuestra psique en este mismo momento, exigiendo que lo reconozcamos. Ya no nos vemos a nosotros mismos como simples egos que necesitan repararse, sino que estamos destapando una verdad más profunda de nuestro ser, dándonos cuenta de que somos seres humanos y, al mismo tiempo, divinos. Cuando sólo aceptas una de las caras de tu naturaleza, estás mermando a ambas mitades y caminarás con ese sentimiento vacío de que te falta algo. Las dos caras de nuestra propia naturaleza tienen que legitimarse desde este momento, ya que de lo contrario nunca nos sentiremos plenos.

En última instancia aprendemos atravesando el camino del despertar que ser «sólo humanos» no satisface a nuestra alma. Resulta muy tentador probar y ser «sólo espirituales» y elevarnos por encima de nuestros problemas humanos, pero eso tampoco funciona. Nunca podremos superar nada que no hayamos sanado e integrado en nuestra vida personal. Nuestros problemas continuarán apareciendo hasta que los hayamos superado verdaderamente. En el trabajo del alma no puede haber simulaciones. Lo que es, *es*.

Para ti, que te estás recuperando del abuso de alguna adicción o de alguna religión, es fundamental que te des cuenta de que esta existencia humana, con su fiera naturaleza y sus pasiones jugosas, forma parte de tu existencia sagrada, tanto como tus anhelos espirituales, de ofrecer un servicio desinteresado. Rechazar nuestra humanidad dada por Dios o etiquetar sus deseos naturales de egoístas o de malignos supone negar el objetivo sagrado de ser humanos. La vergüenza que se origina a través de este modo de pensar, en mi opinión, explica por qué las adicciones y las conductas autodestructivas son tan abundantes en la cultura americana.

Nos han creado para entrar plenamente en la vida humana, así que podemos aprender su naturaleza. Eso es lo que el Espíritu está haciendo aquí: se está vistiendo de una percepción física para así poder espiritualizar la existencia terrenal aquí. Si consideramos que ser humanos es algo que está por debajo de nuestra naturaleza, que es impropio de alguna manera, entonces tenemos que decir que Dios cometió un error cuando creó a todo el reino humano.

LA POSESIÓN DE LAS DOS CARAS DE NOSOTROS MISMOS

Paradójicamente, mientras el ser humano ha permanecido permanentemente contento con su naturaleza, no se ha sentido satisfecho a la hora de aceptar su propio lado divino. Normalmente esto se ha considerado como algo arrogante o blasfemo. ¿Cómo podemos llegar a afirmar que ya somos espirituales? ¿Acaso no hay algo que se supone que siempre debemos anhelar? Sin embargo, la Biblia afirma que estamos hechos a imagen y semejanza de Dios, que somos la prole de Dios. En Salmos 82:6 y en Juan 10:34, incluso se llega a afirmar que «somos dioses». No obstante, en esta cultura, constantemente nos dan un firme ultimátum para ver a Jesús como el único Hijo de Dios. Y, por desgracia, esto no nos permite aceptar nuestro deber sagrado como representantes de Dios aquí también. Por tanto, somos pecadores en ambas direcciones: como humanos o como divinos. Así pues, ¿no es de extrañar que tengamos problemas a la hora de aceptar lo que somos cuando toda nuestra naturaleza se ha vilipendiado?

Cuando nos limitamos a ser de manera natural lo que somos, nuestros pequeños egos suplican ascender hacia lo más elevado y sagrado, mientras que nuestra alma anhela descender hacia el mundo físico para experimentar los placeres terrenales. Nuestro impulso innato hacia la trascendencia y nuestro deseo natural de experimentar los placeres de la carne tratan de vivir dentro de nosotros, a nuestro lado. Y por culpa de todo este entendimiento equivocado acerca de nuestra naturaleza, muchas personas se ven atrapadas en las drogas, el sexo, los combates apasionados o cualquier otra manera de satisfacer nuestra naturaleza abrasadora. Este impulso dual hacia el ascenso y el descenso es la danza sagrada de la vida. No sólo como egos, sino también como almas, podemos aprender a vivir dentro de esta tensión aceptando ambas necesidades naturales.

Cuando sentimos la necesidad de ser espirituales estamos llamados a mirar en nuestro interior. Podemos entrar en un proceso de meditación, rezar una oración o realizar una serena reflexión, dar paseos tranquilos en la naturaleza y cultivar nuestra vida espiritual cotidiana a través de la observación personal focalizada. Cuando te sientes impulsado a ser más extravertido y práctico, puedes entregarte a la vida humana. Te puedes concentrar en llevar una vida social sana: teniendo éxito en el trabajo, ganando dinero, consumiendo alimentos deliciosos y todas las recompensas humanas que gratifican un ego equilibrado. En el Evangelio de Tomás, Jesús dijo: «Cuando seáis capaces de hacer dos cosas en una, y de configurar lo interior con lo exterior, y lo exterior con lo interior, y lo de arriba con lo de abajo..., entonces podréis entrar en el reino».

El alma es tu mediador entre el Espíritu y la materia, lo cual significa que tu alma está en contacto con las conductas del Espíritu y con tu forma de ser completamente humana. Cuando se reconoce y se invita a ello, nuestra alma abstracta y etérea penetra en las experiencias de nuestra vida y mejora lo sensual con la luz de la reverencia, de la alegría, de la compasión profunda y de la realización. Cuando el alma despierta en una personalidad humana, se experimenta un momento de plenitud: somos completamente humanos y, al mismo tiempo, completamente espirituales. Tu Yo, que vive tu historia en general, es capaz de ver el objetivo que te has marcado en todo lo que emprendas. Por tanto, no se pierde ningún momento, ni nunca llega a ser aburrido. Ésa es la mayor «elevación» de todas.

El espíritu, el alma y el cuerpo son la misma cosa: como el vapor, el agua y el hielo. Puede que no haya separación. El cuerpo es espíritu concretizado. Aprender a permanecer firmes en nuestra naturaleza terrenal/celestial es la clave para estar centrados y vivir vitalmente en este mundo tan complejo. Es un enorme alivio para el alma que podamos recordar que somos seres divinos envueltos en una piel humana con el sagrado objetivo de convertirnos en seres humanos completamente realizados. La alegría y un intenso sentido de significado sagrado se convierten en la experiencia paradójica de nuestra vida.

LA LECCIÓN DE LA VIDA

Ser lo que estás predestinado a ser

La Lección de la Vida que está relacionada con este Primer Principio es practicar cómo tus dos naturalezas pueden aprender a existir en un solo cuerpo, a armonizar y a espiritualizar tu vida. Ya no existe una separación entre sentir que una parte de ti es buena y la otra mala, sino que aprendes una importante ley espiritual: cómo se puede disolver una mentalidad disyuntiva. Esto es verdaderamente lo que hace que nos sintamos mal. Recuerda: la adicción es una enfermedad de extremos y una forma fanática de polarizarnos a nosotros mismos en algo correcto/equivocado, pecador/espiritual. Una persona dividida no puede vivir.

Por tanto, en primer lugar, observa cuál es la actitud que tienes hacia tu lado humano. Pregúntate a ti mismo:

- ¿Me siento avergonzado por mi condición humana?
- ¿Mi religión, de forma sutil o no sutil, me hace sentir de esta manera?
- ¿Trato de ser «sólo espiritual»? ¿Soy un hipócrita?
- ¿Estoy aplicando un manto superficial de pensamiento positivo sobre todo un puñado de sentimientos negativos acerca de lo que creo que soy?
- Cuando mis apetitos humanos se vierten, ¿caigo en la negación y les doy rienda suelta de manera inconsciente: comiendo excesivamente, bebiendo o drogándome o entregándome a los apetitos sexuales? Si es así, ¿de qué estoy verdaderamente hambriento?
- ¿Utilizo excesivamente mi lado humano para evitar creer en la espiritualidad?
- ¿Un miedo a perder mi humanidad y todos sus placeres me impide tener un camino espiritual?

Aunque los factores espirituales operan detrás de todas las funciones propias del mundo inferior, nunca deberían impedir que estemos plenamente inmersos en esta vida espiritual ni deberíamos considerar que el ser humano es algo que está, en cierta manera, «por debajo de nosotros». Esto viola la razón sagrada por la que hemos nacido con una carne humana.

Ahora bien, es cierto que puedes haberte vuelto adicto a algunos de los placeres tentadores que tenemos aquí, en la Tierra. Y si es así, debes ser la persona que asuma la responsabilidad de acabar con esta forma de vida tan extremista si realmente deseas encontrar el equilibrio. Todos tenemos que realizar nuestro baile en la sombra por lo que se refiere a estas distorsiones, peligros y demonios que han atormentado a nuestras vidas. Por desgracia, forman parte de nuestra condición humana hasta que, finalmente, todo se haya hecho consciente, se haya dado un buen uso y se considere como algo sagrado.

LA IMPORTANCIA DE LAS ADICCIONES

Las personas cuyas lecciones de la vida se vierten empleando la vasija llamada «adicción» son las musas del alma. Cuando tus pasiones se dirigen hacia la dirección adecuada, nos proporcionan inspiración. Estás dispuesto a dirigirte hacia la vida interior con entusiasmo y a descubrir el secreto más importante de tu psique: que ya tienes dentro de ti todo lo que necesitas para ser pleno.

Por tanto, ¿por qué no aceptamos esto acerca de nosotros mismos, así como acerca de los demás, en lugar de aferrarnos a un juicio o a la vergüenza? ¿De qué otra manera un alma aprenderá a ser humana sin necesitar cierta práctica y sin realizar movimientos en falso? La práctica, sin realizar ningún juicio, es una clave para convertirnos en seres plenos. De lo contrario, nos veremos atrapados en unas conductas basadas en la vergüenza y en la costumbre de culpar a los demás. Este callejón sin salida no conduce a ninguna parte. Todas las necesidades compulsivas que nos invaden tienen sus raíces en una adicción emocional. Por tanto, debes asegurarte de que eres consciente del sentimiento emocional que tienes cada vez que una de esas conductas adictivas o necesidades compulsivas hacen acto de presencia. Cuando adviertas la emoción que siempre tienes cada vez que esta necesidad está presente, prueba a realizar alguna otra cosa, además de dar rienda suelta a tu reacción emocional habitual. Tienes que «volver a canalizar» tu cerebro en un nuevo camino neural. Y para ello es necesario realizar una y otra vez la práctica de la nueva conducta. Al principio no sentirás que estás haciendo nada diferente, pero debes realizarla en cualquier caso.

¿CUÁL ES TU ACTITUD HACIA LA ESPIRITUALIDAD?

A continuación, exploremos la actitud que demuestras hacia la espiritualidad. Pregúntate a ti mismo:

- ¿Confundo la espiritualidad con la religión?
- ¿Soy un producto del abuso de la religión, ya que he sido castigado por figuras autoritarias «en el nombre de Dios»?
- ¿Cuál es mi definición de «ser espiritual»?
- ¿Es mi espiritualidad o religión algo que «aplicamos» a los demás como el único camino?
- ¿Me muestro arrogante al pensar que soy más espiritual que los demás?
- ¿Pongo excesivo énfasis en mi vida espiritual y considero que ser humano es algo malo o pecaminoso?
- ¿Es importante que la gente me vea como una persona «espiritual»?
- ¿Está mi vida religiosa llena de ciencias sin examinar?

- ¿Doy la impresión de ser un fanático religioso? Y si es así, ¿puedo admitirlo?
- ¿Tengo secretos acerca de mi sexualidad o de mis necesidades sensuales que mi religión o mi educación hacen que me sienta culpables de ellas?
- ¿Me miento a mí mismo o tengo que mostrarme falso de alguna manera para «ser espiritual»?
- ¿Niego todo lo que está relacionado con la espiritualidad porque he confundido una asociación negativa con una religión dogmática?
- ¿Tengo derecho a cuestionar algunas partes de la Biblia?

La lección más importante en este punto es hacer una revisión de ti mismo y comprobar si te has vuelto «tan espiritual que no eres bueno», como decimos en broma en Texas. O, por el contrario, para ver si has negado completamente la espiritualidad por culpa de alguna forma de abuso religioso.

¿QUÉ SIGNIFICA «SER ESPIRITUAL»?

Las personas que fingen ser espirituales, cuando en realidad lo único que hacen es evitar que en su vida haya problemas constantes relacionados con la psicología y con las relaciones, muchas veces son más transparentes de lo que creen. No hay manera de que ninguno de nosotros pueda llegar a «fingir» que somos espirituales.

Es muy fácil lanzar tópicos espirituales, pero llevar una vida espiritual siempre supone llevar una vida llena de compasión, mentalidad abierta y preocupación reverente por uno mismo y por los demás. Una verdadera vida espiritual es una práctica diaria en la que debes ser observador de uno mismo en cada momento y asumir la responsabilidad en todos los ámbitos de tu existencia. El resultado final siempre será la inocuidad. Gracias al trabajo de los exploradores de la consciencia, como el doctor Jung, ahora sabemos que la espiritualidad no es el resultado de un tratamiento. No es algo que adquiramos por medio de las buenas obras. ¡La espiritualidad es nuestra propia esencia!

Cada vez que comienzas a caer en el olvido personal, debes recordar este Principio para mantenerte en el buen camino. Desde este momento y en lo sucesivo, debes tener valor para convertirte en la hermosa criatura híbrida que Dios hizo que fueras: un Ser que es a la vez humano y divino. No es algo sobrenatural que las personas acaben por encontrarse a sí mismas, que adquieran un reconocimiento personal: es la revelación natural de nuestro propio destino.

LA PRÁCTICA

Penetrar en tu personalidad infundida por tu alma

Un ejercicio de imaginación guiada

Utilizar tu imaginación creativa es el modo en el que creas las imágenes mentales interiores que crean tu realidad. Tal y como ahora hemos visto, tu imaginación es un poder del alma que unirá tu Yo real con tu Yo ideal, pasando de ser lo que crees que eres ahora a lo que deseas convertirte.

Por tanto, tómate un momento para imaginar tu propia personalidad ordinaria, aquella que siempre has pensado que tenías… Obsérvate a ti mismo en un episodio actual de tu vida, vestido tal y como lo estás hoy, comportándote tal y como lo haces habitualmente, y deja que esta imagen se vuelva clara… Ahora percíbela tal y como es… Observa cómo te sientes verdaderamente acerca de lo que hoy es tu personalidad humana…

A continuación, utilizando tu imaginación, crea una imagen de tu Yo ideal, aquella que consideras que es perfecta o completa... (Es posible que te resulte más difícil acceder a esta última, pero debes ser paciente y dejar que emerja de tu mente inconsciente.) En primer lugar, sentirás una esencia... A continuación, empezará a aparecer un «recuerdo» vago de quién eres realmente... Observa quién aparece... Y siente tu transformación en este Yo superior, advirtiendo cómo te hace sentir esta imagen...

Una vez que tengas en tu mente estas dos imágenes de ti mismo, deja que se vuelvan la una hacia la otra y que lentamente se unan hasta que se fundan entre sí...

¡Ahora observa lo que eres en toda tu gloria!

Crea la imagen en la que te encuentras en la tierra como «una caña vertical» entre el cielo y la tierra, como un representante del vínculo que existe entre nuestra naturaleza terrenal y nuestra naturaleza espiritual... No hay nada ni nadie entre tú y Dios... Esta actitud es tu disposición a mantenerte firme, prestando mucha atención y con la intención espiritual propia de un ser espiritual que vive en un cuerpo humano, un «demostrador de lo Divino».

* * *

Para «asumir» este Principio como tu forma natural de ser, practica a diario a lo largo de este mes, advirtiendo con qué frecuencia recuerdas que eres tanto humano como divino y anotando los momentos en los que caes en el olvido personal.

Más concretamente, comienza cada día poniéndote de pie, mirando hacia el este, y afirmando en voz alta y poniendo mucho énfasis: «Hoy estoy dispuesto a ser mi verdadero Yo». Después de declarar esto a tu Poder Supremo, dedica un momento a meditar sobre lo que acabas de decir y fíjalo en tu mente.

A medida que va avanzando el día, toma nota mental de cada vez que recuerdas tu invocación. Y observa cuántos minutos u horas pasaron cuando te olvidaste de ella.

Si realizas esta práctica durante todo un mes, se puede llegar a convertir en una forma ordinaria de pensar y de sentirte contigo mismo. Por tanto, dale una oportunidad a esta práctica para que en tu consciencia se asiente tu identidad plena como una realidad indudable.

* * *

El siguiente ejercicio de imaginación guiada, si se realiza una vez a la semana durante este mes, también te ayudará a entrar en contacto con tu verdadera identidad.

IMAGINAR EL YO PARA EL QUE HAS NACIDO SER

Un ejercicio de imaginación guiada

Éste es un trabajo interior que te ayudará a encarnar tu Yo terrenal/celestial.

Encuentra un lugar que tenga un espejo, donde puedas estar solo y en calma durante un tiempo. Sitúate delante del espejo y cierra los ojos. Dedica un tiempo a inspirar y a espirar uniformemente, hasta que sientas que empiezas a relajarte. Con los ojos todavía cerrados, encuentra una imagen mental de tu Yo ideal… A medida que ves que este Yo comienza a emerger en tu mente, abre los ojos lentamente, mira al espejo y concéntrate suavemente en tu frente, justo por encima de los ojos…

Ahora mira tu Yo que te está mirando por detrás del espejo… Sigue mirando a los ojos del que te está mirando por detrás hasta que seas capaz de ver cómo tu imagen se vuelve hacia tu verdadero Yo en toda su gloria... Ahora deja que tu identidad cambie, de tal modo que te conviertas en la imagen reflejada que mira detrás de ti...

Cuando te sientas preparado, cierra lentamente los ojos de nuevo y tómate un tiempo en fijar esta Imagen Personal en tu consciencia... Y da gracias a tu Poder Supremo por tener este derecho.

Cuando te sientas preparado, abre lentamente los ojos y regresa aquí. Deberías permanecer en el Silencio durante un tiempo y registrar esta experiencia.

Puedes repetir esta actividad cada vez que caigas en el olvido personal.

7

EL SEGUNDO PRINCIPIO PERSONAL

«El Yo es más importante que sus condiciones»

Lo que en un nivel más profundo había dado motivo para los conflictos más turbulentos y a una pánica tempestad de afectos, parecía ahora ser un temporal en el valle visto desde la cima de una alta montaña. Con ello la tormenta no es privada de su realidad, pero no se está más en ella, sino encima.

CARL GUSTAV JUNG

VERSE ATRAPADO EN LOS PREDICAMENTOS de nuestra vida y luego perdernos en estas condiciones es la plaga de toda alma humana. Cada vez que nos sentimos atrapados o que tenemos esa horrible sensación de que algo en nuestra vida nos está haciendo daño, podemos detenernos, mirar en nuestro interior, y recordar: no hay nada en la vida que pueda llegar a destruir a tu Yo. Tu esencia es un ser omnipresente que tiene más importancia que sus condiciones, por muy devastadoras que éstas puedan ser.

Este Principio te ayudará a salvar los peores momentos. Te proporcionará la fuerza interior necesaria para superar cualquier tipo de dolor que pueda ocurrir en cualquier momento. Por tanto, deja que este Principio cale en tu consciencia; debes saber que echará raíces y aparecerá en tu cerebro cada vez que lo necesites.

TU VIDA EXTERIOR ES UN REFLEJO DE TU MUNDO INTERIOR

Tú *no* eres tu divorcio, ni tu fracaso laboral, o ese sentimiento de traición por el que ahora estás pasando. Tú tampoco eres tus enfermedades físicas, ni tus emociones desenmarañadas durante las épocas de estrés. Tampoco eres tus éxitos más recientes ni ese nuevo título que acabas de conseguir. Todos ellos son *condiciones* que se encuentran fuera de ti: acontecimientos, estados y papeles por los que estás pasando que te están proporcionando una serie de oportunidades que te permitan refinar tu persona y conseguir una mayor expresión del alma.

Tu vida exterior funciona como un espejo. Nunca es la realidad, sólo un reflejo que vuelve hacia ti sobre cómo estás creando tu propia vida. Reflejará tus sistemas de creencias, tu actitud hacia la vida, la imagen que tienes de ti mismo y tus percepciones sobre todo lo que está ocurriendo. También hay muchas maneras de ver las cosas, muchas actitudes que puedas tener. Tú y yo somos responsables de nuestras propias creencias y percepciones. Son estos procesos internos los que están determinando nuestra vida exterior.

Tus acontecimientos externos son el tablero de ajedrez sobre el cual se colocan todas las piezas de tu vida que te proporcionan las experiencias humanas de dolor o de tristeza, de alegría, de amor o de traición. Dependiendo del modo en el que pienses y de las decisiones que hayas tomado, habrás tenido que pasar por ciertas situaciones y habrás mantenido ciertas relaciones. Estas circunstancias, que en un principio te atrajeron, están diseñadas específicamente para ayudarte a regresar al amor.

Sin embargo, una vez que nos hemos enganchado a una circunstancia de la vida, nos olvidamos con mucha facilidad de cómo liberarnos de esos enredos. No obstante, esto es lo más importante: todo lo que aprendemos de nuestras condiciones son lecciones para el amor. Sin embargo, nuestra confusión acerca de lo que es el amor, y lo que no, es el elemento clave en nuestro avance hacia la vida en armonía con los demás. Tu Yo sólo desea amor. Como amor, trata de encontrar su propia naturaleza. Aquel quien crees que eres se refleja de nuevo en ti, proyectado sobre el mundo.

REFLEXIONA SOBRE EL MODO EN EL QUE TE DEFINES A TI MISMO

Ahora tal vez deberías detenerte durante un instante y recordar tus historias favoritas, tan utilizadas, o las afirmaciones personales a través de las cuales te defines a ti mismo, y los argumentos en los que te has visto encasillado como el personaje principal. A continuación, profundiza más en tu interior y comprueba si eres capaz de identificar cuál es el estado de ánimo básico acerca de ti mismo: lo que crees que eres capaz de ser o lo herido o inepto que consideras que eres. Ahora comprueba si eres capaz de salir de todo esto y de observar cómo te has creado a ti mismo. Tal vez has estado en mitad de tu propia imagen, sin llegar a ver lo que eres. Reflexiona sobre esto durante un instante antes de seguir adelante.

Tu psique no está buscando la perfección —¡sólo quiere la finalización!—. Por tanto, te proporcionará la misma experiencia dolorosa una y otra vez hasta que llegues al punto de ser afectuoso, desapegado y con la mente amplia en cualquier situación. Los nombres y los lugares pueden cambiar, pero hasta que no arranquemos de raíz el problema esencial que está produciendo esta disfunción, el problema seguirá sin estar sanado. Una vez que alcanzas el sagrado significado de cierto desamor o de la ruptura de una relación, podrás aprender la lección claramente y entonces, como por arte de magia, ese problema habrá desaparecido de tu vida. ¿Por qué? Porque ya no lo necesitas.

Es tu ego el que se ve «enganchado» por las circunstancias que acontecen en tu vida: eso se convierte en las condiciones que, esperamos, la depurarán. Cuando estés dispuesto a ser completamente sincero contigo mismo, podrás ver que tu ego se ve atrapado por el orgullo: con la necesidad de tener razón, herido en sus sentimientos, sintiéndose capacitado; cosas así. Cada una de las experiencias humanas por las que pasamos hacen que nuestro ego se alinee más con la verdad de nuestro ser: *siempre* y *cuando* estemos dispuestos a ser conscientes y a aprender de esas experiencias. Cada vez que nos demos cuenta de que estamos actuando movidos por una postura egocéntrica, podemos detenernos y decidir qué cualidad o procedimiento necesitamos para contrarrestar esta poco grata forma de comportarnos. A través de una constante disposición a permanecer conscientes en todo momento sobre el modo en el que nos estamos comportando, podemos cambiar nuestra forma habitual de reaccionar y aprender a satisfacer las necesidades de nuestro ego a través de las cualidades positivas que se encuentran ocultas debajo de la forma de ser de la sombra. Por ejemplo, si eres una persona posesiva, es probable que seas capaz de mantener un compromiso firme. Si te hieren fácilmente en tus sentimientos, puede que seas una persona muy compasiva.

TÚ ERES UN ESPÍRITU EN MOVIMIENTO

La voluntad de tu verdadero Yo es la de ser un espíritu en movimiento, diseñado para proporcionar espiritualidad a toda tu experiencia humana. Asociar tu voluntad personal con tus intenciones espirituales más elevadas es un proceso fascinante que conduce a una rica práctica espiritual diaria. Como cocreadores que trabajan codo con codo con nuestro Creador para materializar el espíritu en este mundo, estamos recordando que tenemos que hacer «nuestra tarea» a la hora de desvelar el plan divino para la humanidad. Cuando te sientes atrapado por tus condiciones y actúas de modo inconsciente, no estás consiguiendo espiritualizar todo lo que te está sucediendo. Para hacer algo espiritual debes entrar en tu «parte inferior», examinar todos los hilos entrecruzados que están creando esta situación y, a continuación, tomar una decisión para cargar ese patrón de un significado sagrado y de un objetivo elevado en tu vida. Y debes darte cuenta de que, si haces esto, incluso puedes estar ayudando a la humanidad en general. Todas las cosas que experimentamos en la vida nunca son «solamente personales». Cada vez que te curas y haces que el problema que ha estado atormentando tu vida se convierta en algo sagrado, estás proporcionando más luz hacia la psique colectiva de la humanidad, ayudando de este modo a todas las personas que padezcan una herida similar.

Si somos capaces de recordar que hemos venido aquí como seres espirituales para aprender a ser humanos (Primer Principio), nunca confundiremos lo que nos está pasando con lo que verdaderamente somos. Por el contrario, evolucionamos intensamente en la vida, incluso en los momentos más dolorosos, planteándonos preguntas como: «¿Qué lección puedo aprender aquí?», «¿Cuáles son las intenciones de mi alma en esta situación?» Esto nos coloca sobre un peldaño superior en nuestra escalera evolutiva. Podemos aprender a ver las cosas por encima de la tormenta mientras pasamos a través de ellas. Este modo de vida funciona maravillosamente en las almas apasionadas. Proporciona un intenso placer trabajar con el fin de ver el sagrado significado de unas experiencias que, de lo contrario, serían mundanas. Hace que nos sintamos en contacto con nuestra propia Fuente. Cuando ya no dejamos que nuestras condiciones nos definan podemos enamorarnos del viaje en sí.

Independientemente de lo encadenados a la roca que nos podamos sentir en cualquier situación, la chispa divina que hay en ti está transportándote uniformemente hacia la total revelación. Aunque aquí estamos en forma humana, aprendemos mejor de nuestras experiencias físicas concretas. Recuerda las «tres E» que explican cómo tu alma configura su experimento científico para conocerse a sí misma en forma humana: experimento, experiencia y expresión.

Tú eres la única persona que lleva a cabo el *experimento* eligiendo un método de aprendizaje. A continuación, *experimentas* la lección con la mayor plenitud posible para poder aprenderla a medida que vas avanzando. Una vez aprendida, te conviertes en la *expresión*, en un dato viviente de la sabiduría adquirida de la experiencia. Nunca eres sólo la persona que experimenta. El Tú que habita en tu cuerpo físico es una consciencia por sí misma.

LA LECCIÓN DE LA VIDA

Aprender a través del símbolo o del síntoma

Si este Principio te afecta directamente a ti, puedes haber tenido que aprender alguna lección difícil en tu vida exterior que haya adoptado la forma del destino. Por tanto, es probable que necesites aprender una de estas dos cosas: acordarte de aceptar completamente los sentimientos que puedes estar evitando, sean cuales sean, para así poder completar esta experiencia, o acabar con alguna postura del ego y apartarte de alguna situación o relación que haya perdido su espíritu.

Hay dos maneras de aprender las lecciones que nos da la vida: podemos viajar por la «carretera elevada» y aprender a través de los *símbolos*, que es el camino interior, o podemos viajar por la «carretera inferior» y aprender a través de los *síntomas*, que es el camino exterior. Si eres capaz de encontrar el significado simbólico a una condición problemática, saldrá a la luz el tipo de problema por el que estás atravesando. A continuación, no tendrás que representarlo como el síntoma de una enfermedad o de una disfunción en tu mundo exterior. Ése es el don del trabajo interior. Sin embargo, si no aprendemos algo a través del trabajo interior, nos llegará desde el exterior como una especie de desastre incontrolable con el que tendremos que bregar.

Voy a ofrecerte un ejemplo: tienes un nuevo jefe, una persona a la que en realidad no conoces. Sin embargo, desde el primer momento no puedes soportarlo y te resistes a hacer cualquier tarea que te asigne. Y la relación está en peligro. Si miras en tu interior y descubres: «¿Cuándo me he sentido antes así? ¿A quién me recuerda esta persona?», te darás cuenta de que la raíz del problema se encuentra en un asunto sin resolver que tienes con tu padre. Verás que todavía sigues atrapado en el modo en el que siempre te sientes contigo mismo en relación a tu padre. Simbólicamente, este nuevo jefe te está dando la oportunidad de salir de ese «complejo paterno» y de ver a tu jefe tal y como es en realidad.

Con esta forma de entender las cosas, puede que todavía tengas la sensación de resistencia hacia tu jefe, pero no necesitarás sacarla a la luz. Por el contrario, tomarás el «camino superior» y registrarás tus sentimientos o hablarás de ellos con un amigo o con un médico. En el trabajo serás consciente de que este hombre es actualmente tu maestro. Si decides tomar el «camino inferior» y actuar siguiendo este error de percepción, ser despedido puede ser el síntoma exterior, tu destino. De cualquier modo, a través del símbolo o del síntoma, acabamos por aprender una lección. Pero yo me aseguraría de tomar el «camino superior», ¿acaso tú no harías lo mismo?

Cuando te escuchas a ti mismo decir «no me gusta verme actuar de esta manera», debes darte cuenta de que eres dos seres al mismo tiempo: el ser que actúa y el ser al que no le gusta verlo. ¿Cuál de ellos te gustaría ser? Todas las formas problemáticas de comportamiento se presentan adoptando la apariencia de un ser impostor. Mantenernos limpios interiormente nos evita padecer enfermedades emocionales y físicas. Lo ideal sería permanecer tan transparentes que los vientos de nuestras circunstancias puedan fluir a través de nosotros sin nada a lo que aferrarnos.

LOS SÍNTOMAS TE RECUERDAN QUE DEBES MIRAR HACIA TU INTERIOR

Por tanto, cada vez que haya algo que te preocupe mucho, considéralo como una oportunidad para mirar en tu interior y encontrar el significado simbólico de lo que verdaderamente te está inquietando. Existe un apego emocional que siempre sientes cuando esta persona o esta situación en particular aparece en la pantalla de tu conciencia. Representa la importancia simbólica de que nunca se ha llegado a identificar, a hacer consciente o a sanar aquello de lo que esta reacción está tratando de defenderse. Debes estar dispuesto a aclararlo. No tienes más que darte cuenta de que estos sentimientos tan molestos significan que estás «cocinando» algo, que es el sagrado proceso alquímico que el alma lleva a cabo en nuestro interior cuando nos está introduciendo en algo nuevo. Se siente como una agitación o un ruido sordo en tu corazón. Cuando te encuentres «sudando la gota gorda», no tienes más que saber que te encuentras en el acto de transformación en sí. El Yo, tu alma, está eliminando algún error o ilusión del ego y reformulando todo tu ser.

Todos los problemas que hay en la vida son asuntos que tienen que ver con las relaciones. Algunas de ellas son relaciones con personas, otras son con tu trabajo o con «algo» en particular, como el consumo de alcohol o las compras compulsivas a las que te has vuelto adicto. Puedes aplicar las siguientes cuestiones a una relación de cualquier tipo que pueda estar atormentándote:

- ¿Este patrón ya lo he experimentado en otros momentos de mi vida? Si es así, ¿cuál es la lección que no estoy aprendiendo?
- ¿Cuál es la adicción emocional que subyace a los sentimientos que tengo en esta relación? ¿Cómo reacciono siempre cuando se desencadenan mis sentimientos?
- ¿Estoy aceptando a mi auténtico Yo al estar en esta relación?

- ¿Qué me está proporcionando todo esto (lo que sea) que yo creo que todavía carezco?
- ¿Esta relación todavía tiene alma o es sólo mi ego el que no deja que siga adelante?
- ¿Se ha cumplido el objetivo de esta relación y ha expirado? Si es así, ¿estoy dispuesto a marcharme dulcemente?
- ¿Qué represento para esta otra persona? ¿Y qué es lo que ella representa para mí?
- ¿Qué fue lo que me atrajo de este tipo de persona (o de lo que sea)?
- Si es una relación primaria, pregúntate lo siguiente: «Cuando estoy comportándome de forma natural y tal como soy, y la otra persona está haciendo lo mismo, ¿nos respetamos y nos aceptamos mutuamente tal y como somos?» Si no es así, ¿por qué?
- ¿Estoy derrochando mi energía tratando de cambiar a esta persona en lugar de fijarme en el papel que represento en esta relación?
- ¿Esta persona está tratando de decirme algo que no soy capaz de percibir?
- ¿Estamos representando los papeles equivocados y nuestra relación necesita redefinirse?
- ¿Qué cosas me está enseñando esta relación acerca del amor?

Este tipo de pesquisa personal requiere una sinceridad radical y una disposición a aceptar tu parte de culpa en cualquier problema que esté sucediendo. Culpar a los demás muchas veces no es más que una proyección, que es una opción que no te permite desarrollarte.

Recuérdate a ti mismo que eres la única persona que produces esta experiencia. Y eres la única persona que estás experimentándola. Por tanto, si puedes, debes identificarte con esa persona que la está produciendo —ése es tu verdadero Yo—, y comprobar si eres capaz de iluminar y dejar de tomarte las cosas de forma personal.

Algunas veces, este mantra puede servir de ayuda: «Ninguna re-

sistencia. Ninguna resistencia. Deja que las cosas sigan su curso».
Otro mantra que me ayuda mucho cuando me lo digo a mí misma
es: «Esto también se superará».

LA PRÁCTICA

Utilizar tu «librito»

Durante este mes aprenderás muchas cosas acerca del modo en
el que reacciones en situaciones problemáticas observando qué tipo
de situaciones «enganchan» tus emociones, cómo te comportas cuando te ves «enganchado» y cómo consigues superar ese apego. No olvides las sensaciones que tienes cuando estás «atrapado»: serás una
especie de agitación en el estómago o una presión en el pecho que
te hace sentir ansioso y preocupado, con una necesidad urgente de
liberarte de algo o de encontrar explicación a algo. Te encuentras in-
merso en un proceso: estás «cocinando» algo. Utiliza a tu Yo Observador para advertir qué subpersonalidad se ha activado cuando
te sientes de cierta manera en particular.

Utiliza tu «librito» para expresar los sentimientos cuando éstos aparezcan y escucha aquello que tus sentimientos tengan que
decirte. Practica esto fielmente cada día de este mes para conec-
tar este ejercicio con tu vida diaria y conviértelo en una práctica
rutinaria.

Toma nota de las historias que te relatas a ti mismo y que hacen
que tus reacciones emocionales estén en plena ebullición. Siempre
habrá una «pequeña historia» personal (mi padre siempre me criti-
caba) y luego una «historia general» impersonal (nunca he superado el complejo que me produjo mi padre, así que tengo problemas
con la autoridad masculina) que explique el significado simbólico
de tus interacciones.

En las próximas líneas encontrarás un ejercicio de imaginación guiada que es transformacional. Practícalo una vez por semana durante este mes, o con la mayor prontitud posible.

* * *

VIVIR EN TU PERSPECTIVA GENERAL

Un ejercicio de imaginación guiada

Si ha llegado el momento de despojarte de ciertos apegos emocionales persistentes, existe un proceso mental muy sencillo que se puede pasar por alto con suma facilidad, dado el poder que tiene para sanarte. Este proceso es el siguiente: dedica el tiempo suficiente para concentrarte en tu interior, pide ayuda a tu Yo y no olvides «la perspectiva general».

Encuentra un lugar tranquilo donde puedas llevar a cabo un trabajo interior. Cierra los ojos y reflexiona sobre el problema que actualmente hay en tu vida que te está produciendo dolor. Toma tu tiempo para dejar que esta situación realmente penetre en ti: obsérvala en tu mente y penetra en ella, absorbiendo completamente el modo en el que esta circunstancia te está haciendo sentir…

Ahora, como por arte de magia, levántate y sal del escenario, como si te estuvieras alejando de tus condiciones y te estuvieras elevando hacia el cielo, viéndolo ahora todo desde las alturas… Desde esta estación superior, observa qué es lo que *verdaderamente* está pasando; observa la perspectiva general…

Aprende la lección, analiza el contexto en el que se está produciendo esta situación. Tal vez existe un patrón…

¿Puedes ver la imagen que se encuentra por detrás de esta escena que está manteniendo todo en su lugar? ¿Dónde aprendiste a ofrecer esta respuesta a este tipo de situación en particular? Reflexiona sobre tu pasado durante un instante y asume este patrón...

A continuación, obsérvate a ti mismo reentrando en la escena que has contemplado desde arriba e imagina que resuelves la situación de una nueva manera...

Regresa a esta realidad y tómate tiempo para reflexionar.

* * *

No olvides nunca por un momento el poder de tu auténtico Yo. Este Yo siempre puede aliviar tu sufrimiento y devolverte a la realidad de cualquier situación. Tu Yo interior es tu Amado, tu alma. Sería conveniente que todos pudiéramos ayudarnos los unos a los otros a recordar esto y a fomentar este nuevo impulso evolutivo. Si sólo sigues las tendencias del egoísmo, donde uno sólo piensa en sí mismo, ya nunca más podremos satisfacer a nuestras almas hambrientas.

8

EL TERCER PRINCIPIO PERSONAL

«Cada vez que digas "voy a ser esto", en eso te convertirás»

Las palabras «yo soy» son muy potentes;
debes tener cuidado de a qué las asocias.
Aquello que estás solicitando tiene un camino
de vuelta atrás y puede volverse hacia ti.

A. L. KITSELMAN

LAS PALABRAS «VOY A SER ESTO» emanan de lo Divino. Contienen el poder de la manifestación. Esto significa que cada vez que digas «voy a ser esto», si está impulsado por una carga emocional, se convertirá en tu realidad. Las escuelas espirituales, tanto orientales como occidentales, contienen estas palabras como una reverencia al nivel supremo.

Nunca debemos decir «voy a ser esto» refiriéndonos a cualquier cosa que sea inferior a lo que verdaderamente deseamos ser, ya que eso se reflejará en nosotros. Decir que yo soy o yo estoy, refiriéndonos a una aflicción o a una condición —como «estoy hambriento» o «estoy derrotado por la vida»—, manifestará aquello a lo que deseabas no tener que enfrentarte. Y la razón es la siguiente: «el «yo» que hay en ti no se comporta como una persona; no es más que una matriz de energía que contiene todas las cualidades que suponen ser humano. El «yo» es pura consciencia. Adoptará la forma de cualquier cosa con la que decidas identificarte en un momento dado.

Existe una gran diferencia entre las palabras «yo soy» y «yo tengo». «Yo soy» o «yo estoy» se refieren a ti, mientras que «yo tengo» indica algo que posees. Las expresiones comunes como «estoy enfadado» o «soy un fracaso» son nuestra forma de hablar ordinariamente. A menudo no nos damos cuenta de ello, pero este tipo de afirmaciones son determinantes en nuestra vida. Hacemos un mal uso del lenguaje como consecuencia de nuestra ignorancia acerca del funcionamiento de nuestra consciencia humana. Entonces, como caemos en estas identidades equivocadas, resulta difícil llegar a superarlas. No es extraño que los índices de recaídas en la recuperación de las adicciones alcancen el noventa por ciento[9]. ¿Cuántas veces hemos escuchado decir a alguien: «No puedo evitarlo; soy un alcohólico sin esperanza»?

Todas las afirmaciones que nos identifican no comienzan con «yo soy». Algunas son más sutiles. Si afirmas: «Nada me emociona», en realidad estás diciendo «estoy aburrido con la vida». El pensamiento que está creando esta realidad está claramente ahí. Es completamente inofensivo decir cosas como «Me voy a la tienda de ultramarinos» o «Llego tarde a la fiesta». Estas afirmaciones no nos definen. Sin embargo, te darás cuenta de que cuando realizas estas afirmaciones, éstas llegan a manifestarse. Llegas a *hacer* la compra en la tienda de ultramarinos o *estás* llegando tarde a la fiesta.

Lo importante aquí es esto: las afirmaciones del tipo «yo soy» o «yo estoy» son la ejecución de la ley cósmica de la manifestación; crean lo que tú eres. Aquello que verbalizas es una declaración de lo que se encuentra en tu mente. Y el pensamiento es creativo.

CUANDO SE DICE «YO SOY» FRENTE A «YO TENGO»

Sé que estoy cometiendo un error gramatical cuando sugiero que sería mejor cambiar la afirmación «soy un alcohólico» por «tengo alcoholismo». El alcoholismo es una enfermedad producida por beber alcohol cuando tu cuerpo no puede asimilarlo; no es lo que tú eres. Afirmar «tengo alcoholismo» en lugar de «soy un alcohólico» no es una forma de negarlo, ni tampoco es una excusa para volver a beber. Simplemente se trata de manifestar claramente algo que posees en lugar de algo que te está poseyendo a ti. Se trata de recuperar tu poder. Cuando afirmas «yo soy mi enfermedad», la enfermedad se apodera de ti y la vives. Por tanto, todo lo que hay en tu vida puede encerrarse en la rúbrica de esa forma de ser enferma.

Sin embargo, afirmar «soy un alcohólico recuperado» puede resultar beneficioso durante la primera etapa de la recuperación. De hecho, puede ser la primera identidad que esta persona puede llegar a tener. Por tanto, identificarse con otras personas que se denominan a sí mismas alcohólicas puede ser una experiencia reparadora. Ayuda a reducir la vergüenza que muchas personas sienten con esta aflicción. Pero a medida que uno continúa con esta recuperación, llegará un momento en el que esta identidad se vuelva demasiado pequeña como para contener durante más tiempo a la persona. A medida que uno se desarrolla y se expande, también llega a vivir con muchas otras partes de uno mismo que no tienen nada que ver con ser «un alcohólico». La persona puede ser un artista, un maestro, una persona tranquila, un amigo. Todos ellos son papeles descriptivos que representamos cuando así es necesario. Ninguno de ellos llega a ser nunca lo que somos.

Puedes agradecer la experiencia enriquecedora que te proporciona cualquier identidad que adoptes. Tus identidades adoptadas determinan qué cosas permiten que te disgusten, qué cosas hacen que te sientas bien contigo mismo, hacia qué cosas te sientes atraído y en qué cosas te concentras y a qué cosas das prioridad en tu vida. Por ejemplo, si me dices que soy un mal piloto de combate, probablemente me limitaría a sonreír. No tengo ningún interés en ser piloto de combate. Sin embargo, si me dices que soy una mala madre, mi corazón se agita y tengo una reacción emocional.

Por tanto, debes tomar nota de las cosas con las que te identificas, ya que ellas te darán mucha información acerca de tus respuestas en la vida y explicarán por qué las estás teniendo. Cuando te estás tomando demasiado en serio alguna identidad, sin lugar a dudas te sentirás «atrapado». Si es así, puedes entrar en contacto con la necesidad que esta identidad está satisfaciendo en ti y aprender a gratificarla de una forma sana e inofensiva. También hay momentos en los que nos quedamos de forma natural en una identidad que ya no significa nada para nosotros. Entonces, nos despojamos de ella, como si fuera una prenda de vestir: la dejamos atrás. Las palabras que utilizamos nos ponen en contacto con las creencias que tenemos acerca de quiénes somos. Tu mundo exterior no es más que un reflejo de todo lo que crees que es la realidad. Así es cómo funciona la consciencia. Por esta razón, el mitólogo Joseph Campbell afirmó que sería mejor que tuviéramos una historia general que no tener ninguna historia, ya que son todas esas pequeñas historias que se encuentran en mitad del camino las que nos producen tantos problemas. Tal vez sería mejor decir cosas como: «Soy pura consciencia», «Soy una criatura de Dios», «Soy un alma que viaja a través de una vida humana». Éstas son nuestras historias generales que definen quiénes somos en nuestra plenitud. Piensa en la vida que se manifestaría alrededor de nosotros si tuviéramos la costumbre de utilizar estas plenas definiciones personales en lugar de usar aquellas pequeñas que minimizan nuestras vidas poniéndonos en pequeñas cajas etiquetadas. Pensemos en esto durante unos minutos.

LA IDENTIFICACIÓN Y LA DESIDENTIFICACIÓN

La *identificación* es la palabra clave aquí. Te conviertes en aquello con lo que te identificas. Por tanto, eso condiciona tu vida. Sin embargo, nunca tenemos que vernos atrapados en una identidad limitadora porque somos capaces de la *identificación* y de la *desidentificación*. La identificación, en términos budistas, es el apego; la desidentificación es el no apego. La identificación consiste en «asumir algo»; la desidentificación consiste en «despojarse de algo». Sales de ello y lo ves como algo diferente a ti. Cuando despertamos, aprendemos a ser buenos en ambas cosas y a saber cuándo cualquiera de ellas es apropiada.

«La base de toda realización personal y de toda libertad interna es la desidentificación —afirma el psiquiatra italiano Roberto Assagioli—. Descubriremos que estamos gobernados por aquello con lo que nos identificamos y cada vez que podemos desidentificarnos de algo, podemos dirigir y hacer uso de ello». Para que eso sea posible, tiene que haber un Yo superior que lleve a cabo esa dirección.

Siempre estamos pasando de una fragmentación a una plenitud en este camino hacia la realización personal. Por tanto, cada vez que hayas finalizado una etapa en tu vida o algún aspecto de tu persona, estás llamado a *desidentificarte* con este yo limitado y pasar a *reidentificarte* con el ser más expandido en el que te estás convirtiendo. Como seres espirituales que están aprendiendo a ser humanos, estamos diseñados para vivir en nuestros límites de desarrollo. Asumimos algo; nos despojamos de ello; descendemos en algo para conocerlo, y luego ascendemos por encima de ello y seguimos adelante. Nunca tenemos la intención de aferrarnos a algo que hemos dejado atrás. Siempre estamos liberando a un Yo inferior para conseguir un Yo superior. De esta manera, hacemos consciente nuestro propio proceso de realización personal.

A medida que vayas despertando, tendrás que desenterrar cualquier actitud o creencia inconsciente o petrificada que puedas llevar contigo y que pudiera hacer que manifestaras una realidad que no has elegido conscientemente. Gran parte de las cosas que hacemos en la vida tienen su origen en un sistema de creencias que no se han examinado. Con mucha frecuencia, actuamos como robots y no pensamos nada en absoluto. Cuando estamos atrapados en una situación negativa, nos escuchamos a nosotros mismos decir: «Bueno, así es precisamente como soy». Pasar de una vida inconsciente a una consciente es una tremenda conmoción. Cuando tu alma despierta en la vida de tu personalidad, tu forma de comportarte inconsciente comenzará a golpearte en pleno rostro; ya nunca más serás capaz de «quedarte dormido al volante».

LA LECCIÓN DE LA VIDA

Desprenderse de las limitaciones

Si la lectura de este Principio te atrae, estás llamado a desarrollarte más allá de alguna parte de tu ser de la que te has despojado. Cualquier identidad parcial en la que te hayas convertido tiene su objetivo sagrado en tu despertar, hasta que te despojas de ella. Entonces se convierte en una forma muerta y será esencial para que puedas desidentificarte.

Mientras vives dentro de cierta identidad limitada, como ser «el adicto» o «la víctima», estás adquiriendo un conocimiento empírico de cómo se comporta esta parte en particular de tu ser. Esta «parte» se comportará como una parte de ti que tiene una necesidad que no se ha satisfecho. Pero es un fragmento de tu ego que no está integrado, y como no está integrado actúa inconscientemente y no cooperará con ninguna otra parte de tu cuerpo. Pasará a tomar el control de toda tu personalidad y se comportará como si fueras tú: como cuando te entra un fuerte berrinche. ¿Recuerdas cómo te sientes? Dirás y harás cosas a las personas que más quieres para, más adelante, sentirte aterrorizado.

Por tanto, echemos un vistazo a algunas de las subpersonalidades que pueden estar creando una vida que ya no deseas vivir. Observa si podemos identificar una en la que te encuentres atrapado actualmente, de tal modo que te permita seguir adelante. Éstos sólo son algunos ejemplos que pueden agitar tu creatividad. Si eres bueno representando cada uno de ellos, sabrás con exactitud cómo se suelen comportar:

- El niño herido.
- El verdadero creyente.
- La bella sureña.
- El muchacho amante.
- El hijo o la hija perfecta.
- La supermadre.
- La reina glamorosa.
- La pobrecita Polly.
- El deportista.
- El adicto.
- El que agrada a todo el mundo.
- El señor Por encima de todo.
- El señor Guay.

Utiliza tu imaginación ahora y comprueba con qué subpersonalidades apareces.

Una vez que hayas identificado el pseudo-yo que estás descargando, no te lo tomes demasiado en serio. Simplemente dale un nombre gracioso, ya que esto ayuda enormemente con el proceso de desidentificación. Puedes purgarte de cualquier idea que esté haciendo que seas prisionero de esta forma tan limitada de conocerte a ti mismo utilizando tu imaginación creativa. Obsérvate a ti mismo saliendo de él. Puedes empezar ahora a verte a ti mismo comportándote como si ya se hubiera ido. ¿Cómo podrías comportarte cuando ya no estés gobernado por esta forma predecible de ser? Comienza a pensar en ti penetrando en tu futuro en lugar de vivir en tu pasado. ¡Toda transformación comienza en la mente! Por tanto, sólo tienes que estás dispuesto a dejar que este proceso tenga lugar. Has hecho que se convierta en algo consciente, y eso ya es más de la mitad de la batalla.

DESPRENDERSE Y EMPRENDER ACCIONES

Tú puedes ser una de esas personas a las que se les da mejor dejarse llevar que emprender acciones, que prefieren desidentificar que identificar. Si es así, tenderás a evitar las relaciones íntimas y cualquier exigencia relacionada con tus sentimientos. En lugar de participar, tu tendencia es a retirarte cuando las cosas empiezan a ponerse delicadas en una situación personal. Pero cuando es necesario que te concentres y te comprometas, permanecer demasiado esquivo puede ser una forma irresponsable de relacionarse con los seres queridos. Tal vez ha llegado el momento de que te arriesgues a mantener una relación íntima, a comprometerte con algo o con alguien de una forma muy profunda y significativa. Tal vez haya un señor Por encima de todo o un señor Guay que esté dispuesto a integrarse. Es sencillo parecer «unido» y no reactivo cuando vives tu vida desde la distancia. Pero eso no es una vida demasiado satisfactoria.

O puede que lo que te convenga sea la lección contraria. Puedes ser una de esas personas que se implican excesivamente en sus relaciones, con todo tipo de sentimientos intensos y de implicación obsesiva. Puede que incluso te sientas más vivo cuando se está produciendo una crisis. Puedes tener una personalidad del Buen Obrante que necesita ser necesitado para sentirse bien consigo mismo. Esta forma de vivir puede ser enormemente satisfactoria, porque te sentirás necesitado y harás cosas muy útiles por los demás. Pero también puedes verte atrapado en una cadena interminable de crisis ajenas y que casi nunca te ocupes de ti mismo. Así pues, tal vez sea el momento de que aprendas a marcar cierta distancia con tu relación intensa.

Todo el viaje de tu psique a través de la condición humana se puede considerar como tu búsqueda de tu verdadera identidad. Es un proceso de aprendizaje para discriminar entre el «yo» y el «no-yo», las cosas que son esenciales y las que no son esenciales, a través del proceso implacable de identificación y desidentificación.

LA PRÁCTICA

La sinceridad emocional

Detente un momento, mira en tu interior y observa cómo te sentirías cuando te pidan que te involucres seriamente en una relación que exija un compromiso emocional, una relación en donde la otra persona quiere que estés disponible para llevar a cabo un sincero proceso de intimidad. A medida que te imaginas a ti mismo entrando en este tipo de relación, comprueba tu cuerpo y observa si las emociones o cualquier tipo de relaciones estrechas están rondando alrededor de tu plexo solar o de tu corazón. Y, si es así, limítate a advertirlo.

A continuación, mira en tu interior y siente cómo serás cuando permaneces a cierta distancia de las personas y de las situaciones que requieren una implicación emocional y una revelación personal íntima. A medida que te imaginas a ti mismo permaneciendo distante o retirado, comprueba tu cuerpo y observa qué sentimientos, si es que hay alguno, se están moviendo en tu interior. Observa especialmente si no sientes nada, sino que estás pensando solamente con tu intelecto.

Desde esta afirmación personal, sabrás qué tipo de persona tiendes a ser: si eres una que se implica profundamente —tal vez demasiado profundamente— o una persona que permanece a una distancia segura de la implicación emocional.

Sea cual sea el tipo de persona que eres, debes realizar el compromiso de invocar la cualidad que te ayudará a convertirte más en el modo de ser que quieres evitar. Si eres una persona que se implica y se te da bien tomar parte de todo tu Yo, aunque algunas veces te sientes atrapado en el sentimentalismo o te implicas demasiado en una relación, puedes invocar a la cualidad de practicar esta nueva forma de ser. Practica esto hasta que este desequilibrio se disipe y te vuelvas más equilibrado a la hora de saber cuándo debes implicarte y cuándo debes permanecer alejado y no apegado.

Si eres más bien del tipo de persona que mantiene las distancias, prefiriendo pensar a sentir, invoca a la cualidad de «disposición a participar» o de «disposición a sentir profundamente». Aplícala y comprométete a practicar este tipo insólito de ser hasta que todos los desequilibrios se disipen y seas capaz de mostrar las dos caras, con discriminación y una elección adecuada del momento.

Utiliza este mes para practicar el modo de ser capaz de implicarte y de desengancharte. Y observa cómo llegas a ser al final del mes. Tener un cuerpo emocional equilibrado es la clave del éxito.

* * *

Otro sencillo ejercicio para practicar este mes consiste en escucharte hablar a ti mismo y en tomar nota de lo que dices cuando afirmas «yo soy». Esto te dará una clave para conocer los papeles y las identidades a las que estás aferrado. También te mostrará qué estados emocionales estás reclamando, tales como «Yo soy un desastre», «Me siento sin esperanza», «Nunca estoy al día», «Me siento confundido».

* * *

UN EJERCICIO DE DESIDENTIFICACIÓN

Tanto si realizas un ejercicio de desidentificación con alguna parte de ti mismo que ya no necesitas como si entras de nuevo en tu verdadero Yo en un proceso de reidentificación, tendrás que liberarte conscientemente de la subpersonalidad que está llevando las riendas del patrón en particular que te controla. Entonces, la reidentificación con tu verdadero Yo se produce de manera natural. Partiendo del ejercicio de arriba, descubrirás la naturaleza de la subpersonalidad que te mantiene alejado y apartado de los sentimientos, o la persona que da demasiado en las relaciones emocionales.

* * *

LA LIBERACIÓN DE UNA SUBPERSONALIDAD

Para desidentificarte de una subpersonalidad puedes utilizar este proceso, que consta de tres pasos:

1. Observación. *Yo te tengo.* Nombra la parte que estás eliminando y observa cómo se encuentra delante de ti. Durante esta etapa, debes ser consciente del hecho de que no eres esta subpersonalidad, sino que eres la persona que la está mirando. Por tanto, puedes desidentificarla verdaderamente.
2. Desidentificación. *Y yo no soy tú.* A medida que te alejas de ella, pregúntale qué es lo que necesita de ti, tal y como le preguntarías a un niño pequeño, y dile lo que necesitas de ella. Deja que el diálogo continúe hasta que hayas aprendido todo lo que necesitas saber de este yo parcial.
3. Reidentificación. *Yo soy pura consciencia; yo soy el Yo con un impulso a actuar siguiendo a mi verdadero Yo.* Ésta es una afirmación

de recordatorio personal. Así pues, tómate cierto tiempo para fijar esta conciencia de lo que verdaderamente eres, siéntete como si este ser saliera de tu interior.

Puedes utilizar estos pasos durante todo el mes como si fueran una afirmación diaria. Con tu concentración y tu compromiso, la subpersonalidad acabará por disiparse.

9

EL CUARTO PRINCIPIO PERSONAL

«La sombra humana tiene una función sagrada»

La sombra nos proporciona un compañero de combate,
el oponente que agudiza nuestras habilidades,
mostrándonos lo que hemos negado
o simplemente lo que todavía no conocemos.

JOHN CONGER

T U SOMBRA ES TODAS ESAS PARTES inconscientes de tu persona que consideras despreciables o indignas. Para mostrarse, utiliza tus emociones negativas, como la ira, los celos, la posesividad, la autocompasión, los sentimientos de capacitación, la defensividad, la lujuria, la codicia y, el peor de todos, la culpabilidad. Como nos sentimos tan avergonzados de este lado oscuro de nuestra naturaleza, tratamos incluso de negar que lo tenemos. También es mucho más sencillo ver la sombra de los demás que proclamar la nuestra propia. Tu sombra es como un niño inmaduro y su conducta muchas veces se exagera y es completamente inaceptable para un adulto maduro y considerado.

Teniendo en cuenta esta naturaleza oscura y aparentemente no deseada, ¿cómo podemos siquiera estar dispuestos a poseer esta parte indigna de nuestro ser? ¿Cómo podemos decir que tu sombra tiene una función sagrada? ¿No sería mejor acabar con ella o, al menos, mantenerla oculta e ignorarla? A esta pregunta debemos responder con un contundente «¡No!» Eso es exactamente lo contrario del modo de sanar una sombra. Cuanto más neguemos nuestra sombra, más grande se hace. Tu sombra es una parte de tu psique, tanto si la aceptas como si no. Por tanto, no tiene donde ir cuando la niegas y lo único que puede hacer es permanecer dormida, esperando una oportunidad para brotar con todo su esplendor. Cada vez que reprimas los sentimientos de ira, dolor o cualquier emoción infeliz, estos sentimientos no expresados se acumulan en los armarios de fondo de la represión que habitan en tu mente inconsciente. Ése es el almacén de tu sombra. Entonces, cuando bajes la guardia y te vuelvas excesivamente frustrado, cansado o fuera de lugar, estos sentimientos poderosos abrumarán tu psique y descargará todos esos sentimientos que has estado negando de un solo golpe —más allá del control de tu ego.

El trabajo de la sombra es el elemento clave en cualquier tipo de proceso de recuperación. La sombra nos infunde imágenes personales distorsionadas y pensamientos acerca de nosotros mismos y de nuestra vida. Sólo el Yo puede proporcionarnos una reflexión genuina. La sombra hace que actuemos de una manera que desemboca en catástrofes o en explosiones de emocionalismo. Cuando la sombra nos ha atrapado, podemos volvernos primitivos e incapaces de realizar un juicio moral —literalmente, en un ser infrahumano—. Estas partes incómodas de nuestro ser se deben afrontar, aceptar, comprender e integrar antes de poder avanzar en la vida.

Considera a tu sombra como tu «arcilla sagrada». Es el papel de lija de tu psique que frota tu carne hasta que la hace ser consciente. Tu sombra te proporciona un «compañero de lucha, el oponente que agudiza tus habilidades», afirma el analista jungiano John Conger. La sombra refleja en nosotros nuestro lado ciego. Nunca nos permite dejar de estar «a medio hacer».

LA SOMBRA ES UNA PROYECCIÓN

La sombra puede también actuar de manera sutil cuando la proyectamos hacia los demás. Si tu reacción hacia otra persona se manifiesta como un extremo de una atracción o de una repulsión, esta persona está reflejando algún aspecto de tu propia sombra. Odiar o enamorarse de una «imagen reflejada» como ésta es algo más común de lo que podrías pensar. La proyección, especialmente, interfiere en nuestra vida amorosa.

Por ejemplo, escucharás a los demás quejarse de que todos los amantes que se toman en serio resultan no ser adecuados para ellos, normalmente de manera muy parecida. Has proyectado tu propia baja autoestima en la relación y, por tanto, la has saboteado. O algunas personas confunden constantemente una atracción ordinaria con encontrar a su «alma gemela», para al final acabar sintiéndose completamente decepcionadas. En este caso, has proyectado a tu propio Amante interior en alguien que se encuentra en tu vida exterior. Y de forma completamente natural, nadie puede llegar a encarnar esa perfección que estás buscando. Las razones de que esto ocurra siguen siendo un misterio. Hasta que el material que se encuentra oculto en nuestra psique se lleve a un nivel consciente, seguiremos engañados dando rienda suelta a una vida amorosa inconsciente y muchas veces tomaremos la misma decisión errónea una y otra vez. La proyección y la inconsciencia son dos elementos que van de la mano.

Todas las relaciones amorosas, es triste decirlo, tienden a mezclar los anhelos tenebrosos con los espirituales. Anhelamos tener ese amor no correspondido del sueño de los poetas al mismo tiempo que deseamos disfrutar de la pasión que nos proporciona una pareja humana verdaderamente terrenal y sexy. Si tratamos de encontrar la comunión espiritual a expensas de nuestros deseos humanos, nos arriesgamos a volvernos llenos de expectativas ilusorias que son imposibles de satisfacer. Por el contrario, si ignoramos nuestras necesidades espirituales y nos concentramos únicamente en nuestras pasiones terrenales, nos arriesgamos a representar a un tenebroso Don Juan o a una *femme fatale* que atrae a su presa con fantasías seductoras que amenazan la vida equilibrada que deseamos alcanzar.

Una vez que somos conscientes de nuestras proyecciones y las integramos, nuestra vida amorosa se mueve fuera de las sombras. Descubrirás que tu relación amorosa más profunda siempre es con el Amante interior, con tu alma. Sea quien sea tu compañero terrenal, la clave para tener éxito en cualquier relación es el matrimonio interno de tu Yo humano y tu Yo divino.

LO QUE LA SOMBRA SACA A LA LUZ

La función sagrada de la sombra humana es sacar a la luz todo lo que deseamos ocultar y negar acerca de nosotros mismos, especialmente nuestras ilusiones no examinadas acerca del amor. Cuando elegimos integrar nuestro lado oscuro, ganamos estabilidad y una expansión de la consciencia, y nos volvemos flexibles en lugar de mantenernos firmemente a la defensiva. A medida que llevas a la consciencia más partes de tu persona, tu pasión por la vida aumenta y comienzas de forma natural a sentirte más auténtico y vivo.

Poseer nuestra propia sombra es la base del perdón y de la compasión, que es otra de sus funciones sagradas. Como todo ser humano proyecta una sombra, reconocer la nuestra sana nuestro fariseísmo unilateral y abre nuestros corazones a una apreciación afectiva de nuestra humanidad común. Podemos sentir empatía hacia el político cuyos discursos acerca de «mantener la confianza pública» se ponen en entredicho por el descubrimiento de sus delitos financieros, o hacia el predicador decimonónico que es detenido en una redada de la brigada antivicio. La sombra no es nada si no es democrática y, en un momento o en otro, a todos nos atraparán con nuestro lado oscuro expuesto.

LA SOMBRA ES TODAS LAS PARTES QUE REPUDIAS

Paradójicamente, tu sombra no está formada por todos tus rasgos negativos. También está formada por todo tu potencial inconsciente y no vivido: algún talento y don todavía no expresado del que te puedes enamorar fácilmente una vez que has aprendido a expresarlo: tu yo amante, tu yo alegre, tu yo mujer u hombre sabio, el líder o el artista que hay en ti. Cualesquiera de ellos se puede enterrar en tu sombra. Pero cuando no se han vivido, podemos volvernos «sombríos» y reaccionar con intensas críticas cargadas de celos cuando vemos que otra persona está expresando nuestro talento no reconocido. O podemos proyectar nuestro propio don negado en otra persona e idolatrarla; por ejemplo, a un artista, en lugar de desarrollar nuestro propio don artístico latente. O podríamos desarrollar una intensa adoración por un líder que incite nuestro propio impulso no reconocido de obtener poder.

¿Puedes ver cómo funciona esto? Estos aspectos no expresados de ti mismo están cargados de energía y siempre encuentran la manera de darse a conocer. La clave está en no perder nunca la consciencia. La consciencia descapadita a la sombra, que sólo puede actuar cuando nos encontramos «en la oscuridad». La sombra tiene que verse a la luz del día para poder sanarnos. Cuando se expone, podemos «cargárnosla» por medio de nuestra compasión y de nuestro entendimiento.

Algunas veces la revelación de la sombra para poder sanarnos requiere un acto de valor supremo. Recuerdo un magnífico ejemplo de esto que ocurrió en uno de nuestros talleres de sanación. Les pedí a los participantes que se vistieran con trajes que representaran un aspecto de su sombra que estuvieran dispuestos a sanar y que vinieran una noche todos para celebrar una «danza de las sombras». Una hermosa joven con un largo historial de relaciones sexuales cuando estaba borracha apareció con un sucinto tanga y poco más. Al principio, todos estábamos conmocionados. Algunos de los miembros masculinos de mi plantilla sintieron que tenían que irse y las mujeres se agarraban a sus maridos de manera posesiva y temerosa. Todos nuestros sentimientos sombríos relacionados con el sexo, los celos y la posesión se activaron automáticamente.

Entonces empezó a sonar la música y esta mujer comenzó a caminar alrededor de la sala, mirándonos a cada uno de nosotros fijamente a los ojos. Afortunadamente, su gesto nos llegó al corazón. Aceptamos este aspecto de ella que nos había revelado, lo reverenciamos y no le dimos a ella ninguna razón para sentirse avergonzada. Este proceso de reconocimiento duró varios minutos. Los ojos se me llenan de lágrimas cada vez que recuerdo la valiente revelación personal que hizo esa mujer al día siguiente durante nuestra terapia de grupo. Se echó a llorar de agradecimiento, afirmando que nuestra aceptación había curado la parte herida de su ser que casi había arruinado su vida.

LA ACEPTACIÓN DE TU SOMBRA

Afrontar la sombra es un paso esencial de cualquier viaje espiritual. Descubrirás que todo el mundo, incluso los maestros espirituales, participa de algún tipo de «baile de las sombras» personal en algún momento de su vida. Las personas que afirman que no tienen ninguna sombra se encuentran inmersas en ella mientras hablan. La incapacidad para hacer que nuestra sombra trabaje es una negación peligrosa de nuestro proceso humano que nos conduce a un callejón sin salida de conducta inconsciente y de bloqueo en nuestro desarrollo personal.

De igual modo que un experto alfarero trabaja con la arcilla, nosotros también podemos aprender a moldear la conducta de nuestra personalidad con una imagen interior de nuestra verdadera forma. Como un aspecto de nuestro Yo superior, la sombra humana crea el «fuego por fricción» que saca a la luz de la consciencia cualquier necesidad que tengamos que sofocar. Por tanto, debes sentir compasión por tu sombra, que está pidiendo a gritos que la aceptes. Cuando te das cuenta de que la sombra es esa parte sagrada de tu ser que tiene la durísima tarea de recordarte todo aquello que todavía no has integrado, tu corazón se abrirá a esta parte no deseada de tu persona.

Cuando tratamos de negar la sombra, ésta se multiplica. Cuando decidimos integrarla, obtenemos estabilidad y expansión de consciencia, y nos volvemos flexibles en lugar de estar firmemente a la defensiva. Poseer nuestra propia sombra hace que seamos más compasivos hacia los demás cuando éstos están atrapados en sus propias sombras. Cuando somos capaces de situarnos en el lado ciego de una persona sin realizar ningún tipo de juicio, estamos ayudando a esa persona. Para ser una persona verdaderamente bondadosa podemos aprender a sentirnos como en casa, dentro del dominio de la sombra cuando ésta sale a la luz, perfectamente sabedores de la travesía en el desierto que nosotros, como seres humanos, debemos llevar a cabo si queremos desarrollar todo nuestro potencial.

No olvides que todo lo que sea inconsciente tiene poder sobre ti. Pero cualquier cosa que hagas consciente puedes utilizarla para que te ayude. El Yo superior que habita en ti siempre puede gobernar por encima de esas personalidades heridas y fragmentadas que tenemos cuando estamos dispuestos a hacer que sean conscientes.

LA LECCIÓN DE LA VIDA

Asumir tu sombra

Si te sientes dividido entre amar y odiar algunas partes de tu personalidad y a los demás, el trabajo de la sombra puede ser la lección que más te conviene en este momento. Pregúntate a ti mismo: «¿Me desprecio a mí mismo o a los demás cuando se comportan de una manera que no apruebo? ¿Tengo miedo de revelar mis verdaderos sentimientos en alguna situación? ¿Me muestro arrogante? ¿Impaciente? ¿Trato siempre de ser demasiado "perfecto"? ¿Me gusta cuchichear o siento un placer secreto cuando veo que los demás fracasan? ¿Dejo que las reacciones emocionales campen por sus respetos en mi vida afirmando en mi defensa que no tengo control sobre ellas? ¿Qué tipo de personas hacen que tenga reacciones desproporcionadas de manera positiva y negativa?»

También debes explorar cómo tu sombra puede estar impactando en tu vida amorosa. ¿Te sientes perpetuamente insatisfecho con tu pareja, mientras albergas la fantasía secreta de que en alguna parte se encuentre tu «alma gemela» o una «llama gemela»? ¿O todas tus relaciones dan la sensación de que fracasan de la misma manera por razones parecidas?

Independientemente de la manera en la que se manifieste tu sombra, el primer paso para tratar con ella es iluminarte y ser un poco más amable contigo mismo. Esto, en sí, ayuda a integrar la sombra. Si te das cuenta de que estás reaccionando de manera desproporcionada frente a una persona o a una situación, éstos son una serie de indicios que te indican que puede que estés proyectando una parte no reconocida de ti sobre otra persona:

- Consideras que alguien es un «enemigo» y te ves a ti mismo como una «víctima».

- Consideras que alguien es un «salvador» o un parangón de virtud y crees que esta persona posee la clave de tu salvación.

- Te obsesionas con los problemas de los demás y empiezas a «vivir» la vida de esta persona.

- Te enamoras perdidamente de alguien que no está a tu alcance o que es inadecuado y desarrollas la fantasía de que esta relación es la ideal.

- Sacrificas tu dinero, tu tiempo y tus energías en alguna causa que decides que es más importante que tu propia vida.

¿Algunos de estos puntos te resultan familiares? Si es así, es probable que tengas que hacer un trabajo con tu sombra. La siguiente práctica de este mes te podrá ayudar:

LA PRÁCTICA

La transformación de la reactividad

- Trae a la consciencia aquello que está causando tu reacción y proclama ese problema como tuyo propio.

- Descarga adecuadamente los sentimientos reprimidos hablando con un médico de confianza o con un amigo bien equilibrado. O expresa tus sentimientos en privado a través de las lágrimas, de un diario o de un entrenamiento intensivo en el gimnasio.

- Transforma la energía que te queda en algún tipo de expresión positiva. Sumérgete en tu trabajo, escribe un poema, dibuja, pinta o cuida tu jardín.

* * *

El siguiente ejercicio de imaginación guiada te ayudará a identificar alguna parte de tu sombra que ya está preparada para integrarse.

El trabajo de la sombra

Un ejercicio de imaginación guiada

Cierra los ojos y visualízate a ti mismo sentado en una habitación vacía, vestido tal y como estás hoy. Mientras te sientas ahí, te encuentras reflexionando sobre qué parte de tu sombra puede estar ya preparada para entrar en tu mente consciente y para sanarse. Mientras piensas en esto, escuchas un ruido que procede de debajo del suelo, en la esquina de la sala. Te das cuenta de que es el lugar donde se esconde tu sombra.

Ahora levántate y camina hacia la esquina... Advierte que allí hay una trampilla que te invita a abrirla y a penetrar en ella... Observas que hay un manto violeta que cuelga sobre una percha y una vela encendida sobre una repisa, así que te pones el manto y coges la vela y abres la trampilla... Advierte cómo te sientes mientras bajas por las escaleras...

Cuando la luz empieza a penetrar en el espacio oscuro que hay abajo, de repente ves cómo se mueve alguien que trata de esconderse de ti... Invítale a salir... Y observa qué es lo que aparece...

Advierte cómo está vestido... Y qué edad tiene... Observa cómo se mueve y advierte cómo se desplaza... ¿Cuál de tus cualidades contiene imagen?...

A continuación, entabla un diálogo con esta sombra. Pregúntale cuánto tiempo lleva contigo... Deja que te cuente qué es lo que está protegiendo, y cómo llegó a existir...

Fúndete con esta parte de ti mismo y sé esta sombra durante unos minutos... ¿Te están viniendo sentimientos dolorosos? Si es así, entra en la esencia del dolor y descubre su raíz... Tal vez se trata de alguna herida de la infancia... Tal vez alguien o una parte de ti mismo todavía necesita perdonar... Sea cual sea el sentimiento que aparezca, deja que se «desangre»... No lo reprimas... Esta expresión forma parte de tu proceso de sanación.

A continuación, con el corazón abierto, di a tu sombra que la aceptas y observa lo que sucede interiormente... Di a tu sombra que la estás invitando a caminar a tu lado en la vida, recordando, por supuesto, que tú eres la persona que está al mando... Y ámala todo lo que puedas desde el punto en el que te encuentres en tu visualización.

A continuación, observa lo que sucede en el ojo de tu mente. Tómate el tiempo necesario para realizar esta parte del proceso... Una vez que sientas que ha tenido lugar cierta integración, deja que estas imágenes interiores se conviertan en una bruma de color gris claro.

Quítate el manto, apaga la vela, regresa a la silla y siéntate una vez más, reflexionando sobre todo lo que acaba de ocurrir en tu vida interior.

Por último, dedica cierto tiempo a procesar esta experiencia. Sería conveniente que dibujaras una imagen de tu sombra o escribieras sobre ella para que te ayude a integrarla.

10

EL QUINTO PRINCIPIO PERSONAL

«El victimismo es un caso de identidad equivocada»

En este momento de la historia no vamos
a tomarnos nada personalmente. Y mucho menos a nosotros mismos.
En el momento en el que lo hacemos, nuestro viaje espiritual
se detiene. Elimina la palabra «lucha»
de tu actitud y de tu vocabulario,
y aprende a celebrar la vida.

LOS ANCIANOS, NACIÓN HOPI

L VICTIMISMO ES UN ESTADO de consciencia sombrío e insidioso que detiene nuestro viaje espiritual. La consciencia de una víctima se produce como consecuencia de un serio malentendido acerca de quién eres y hará que siempre veas la vida como una lucha en la que te sientes impotente e incapaz de vencer. El verdadero Yo es un ser capacitado, nunca es la víctima ni el instrumento de nadie. ¡El Ser capacitado nunca echa la culpa a los demás de nada!

No se puede negar que hay un grave abuso en nuestro mundo: físico, emocional y mental. Aunque es una realidad extraordinariamente dura tener que soportar cualquier tipo de abuso grave, la sabiduría espiritual del mundo nos enseña que todo lo que experimentemos aquí tiene un objetivo sagrado para nuestra vida y para la humanidad en general. Son lecciones sobre el amor. Incluso nuestro nacimiento en una familia en particular donde se ha producido un terrible abuso forma parte de un diseño sagrado para la purificación y la transformación del alma humana. Ningún acontecimiento en nuestra vida es «sólo personal». En una filosofía de plenitud, la descripción de tu trabajo como un ser espiritual en una forma humana consiste en venir a este mundo y asumir la condición humana y transformarla. Así es como llevamos el cielo a la tierra.

Esta afirmación puede hacer que te sientas enfadado o que albergues una sensación de traición divina. Puede que pienses: «¿Por qué los niños inocentes tienen que sufrir un abuso sexual? ¿Dónde está ahí la justicia sagrada?» Te estás olvidando de que los bebés y los niños pequeños son grandes almas encerradas en pequeños cuerpos, y que las almas más fuertes y maduras muchas veces son aquellas que aprenden las lecciones más difíciles.

LA COMPRENSIÓN DEL KARMA

Las preguntas que giran en torno a saber por qué sufrimos se encuentran entre los misterios más intrincados de la vida. Están plagadas de buscadores de la verdad espiritual por todo el mundo. Sin embargo, muchos caminos espirituales coinciden en que existe una razón, aunque puede que nunca lleguemos a conocerla, que explica por qué cada alma transporta la cruz que debe soportar. Si pudiéramos conocer todos los misterios del karma y de otras leyes cósmicas, como el objetivo de la vida creada por la ley de la atracción, comprenderíamos completamente que nuestra alma sabe lo que está haciendo y penetra en la corriente de vida que es más corta de seguir. Entre las lecciones más transformadoras que aprendemos cuando nos desarrollamos hacia la madurez espiritual está que no existen las víctimas, ni siquiera en lo que parecen ser las atrocidades más terribles de la vida.

Ese concepto elimina cualquier impresión de estar sacudido por las manos del destino o por personas malvadas. Nos pone cara a cara con nuestras responsabilidades cocreativas sagradas que tenemos en este mundo, como hijos e hijas de Dios. El síndrome de la «víctima/perpetrador» es un estado de consciencia, donde ambos lados se suceden en el mismo nivel, balanceándose hacia delante y hacia atrás. Los policías crean ladrones y los ladrones crean policías. Para superar este problema arquetípico, debes elevarte por encima de él, como el punto superior de un triángulo, hasta una tercera o superior estación de consciencia —una estación donde puedes asumir toda la responsabilidad de tu vida.

El objetivo de este Principio de Vida es ayudarte a despertar a esta realización.

La consciencia de ser una víctima se basa en nuestra ignorancia de tres verdades fundamentales:

- Todo sufrimiento tiene un objetivo sagrado.
- Aunque no podemos evitar el sufrimiento, tenemos el poder para controlar cómo respondemos a las desgracias que nos depara la vida.
- Todas las lecciones que nos enseña la vida son lecciones sobre el amor.

EL OBJETIVO SAGRADO DEL SUFRIMIENTO HUMANO

El objetivo sagrado del sufrimiento es ayudarnos a transformarnos y a desarrollarnos en nuestro Yo y a vivir en un estado de dicha. Por ejemplo, cuando una traición o un fracaso en una relación te arrastran al victimismo, si estás dispuesto a ser consciente, puedes mirar hacia atrás y ver cómo plantaste las semillas de tu propia traición. Tal vez idolatraste a la persona de tal manera que no pudo estar a la altura de las expectativas. O quizás ignoraste inocentemente las advertencias que recibías acerca de cómo esta traición estaba destinada a suceder.

Recuerdo una demostración especialmente conmovedora que tuvo lugar en uno de nuestros talleres sobre el modo en el que los hombres creamos una consciencia victimista. Un hombre nos había dejado perfectamente claro que había adoptado la subpersonalidad del «niño herido». Cuando llegó el momento de llevar a cabo un proceso que requería la ayuda de un compañero, exigió trabajar con alguien que no lo «abandonara». Insistió una y otra vez sobre este punto. La mujer que se presentó voluntaria para representar el papel era una persona muy bondadosa, que declaró que iba a «estar ahí» junto a él. El hombre se sintió aliviado y se tumbó para realizar, con los ojos cerrados, las dos horas de meditación con música, mientras su pareja actuaba de protectora. Durante todo el largo proceso, esta mujer se mantuvo mirando por encima de su espacio con un profundo sentido del compromiso. Justo hacia el final del ejercicio, ella se ausentó durante aproximadamente veinte segundos para poner una manta sobre su participante vecino. Justo en ese momento, el hombre se incorporó, abrió los ojos, y gritó: «¡Lo ves! ¡Te dije que esto iba a pasar!» Más adelante realizó un importante descubrimiento acerca del papel que tenía en este proceso que duraba toda su vida.

La lucha siempre será una parte natural de cualquier creación. Existe una ley natural de creatividad que siempre está compuesta por tres componentes en todo lo que se ha creado: *tesis, antítesis* y *síntesis*. La *tesis* es el problema o la experiencia deseada; cualquier cosa nueva que estemos aprendiendo. El proceso de *antítesis* es la eliminación de todo aquello que distorsiona o arruina la tesis, como la falta de amor. Ahí es donde el dolor y las dificultades se experimentarán de manera natural. Es la parte de prueba y error de cualquier nueva creación. La *síntesis* es el resultado final, purificado, una vez que nuestra práctica nos ha enseñado qué es lo que funciona y qué es lo que no.

Por ejemplo, puede que ahora estés aprendiendo a ser un buen padre para tu primer hijo o un buen socio en los negocios en tu primera aventura empresarial. Has aprendido de los demás, y de la sociedad en general, una serie de ideas acerca de lo que significa ser un «buen padre» o un «socio en los negocios de éxito», o tal vez has estudiado muchos libros escritos por expertos en esas materias. A continuación, nace tu hijo o se inaugura tu negocio. Y te ves arrojado a los brazos de la experiencia viviente de ser bueno en esas nuevas actividades. Tal vez sientes cierta ilusión por poner en práctica todo lo que has aprendido. O quizás tu hijo o tu nuevo socio simplemente no se conforman con lo que les ofreces, así que tu concepto de lo que supone ser un buen padre o un buen negocio se ponen a prueba con puño de hierro. Tú luchas y sufres.

Mientras practicas de manera consciente cualquier nueva empresa en tu vida, aprendes a ver qué es lo que se considera una forma eficaz, inteligente y considerada de ser y qué es lo que no. Atraviesas el fuego cometiendo errores o escuchando a otras personas en busca de consejos que resultan ser inútiles o incluso perjudiciales. Algunas veces, durante la etapa de antítesis, hay algunas experiencias muy duras por las que tienes que pasar. Puede que tengas la sensación de que has fracasado o de que has sido traicionado por los demás. Sin embargo, finalmente, si perseveras, acabas por ser bueno de manera natural en todo aquello que has aprendido por tus propios medios, aunque tienes que seguir siendo consciente y asumir la responsabilidad de tu propia experiencia de prueba y error.

Reflexiona sobre esto y te darás cuenta de que caer en el victimismo o en la baja autoestima en la fase de *antítesis* de cualquier cosa que suceda en la vida no es más que una forma errónea de entender cómo funciona la vida. Echar la culpa a los demás o caer en la vergüenza por nuestros errores es una decisión inmadura. Como personas plenas, aumentaremos nuestra gratitud por haber llevado a cabo este proceso cósmico de Creatividad y aceptaremos la fase de antítesis por su sagrado objetivo. Experimentar qué es lo que no funciona en alguna nueva empresa en la vida acaba con las etapas antitéticas y nos conduce a la trascendencia. Algunos de nuestros maestros más brillantes resultaron ser aquellos que habían sido nuestros adversarios o han sido la aceptación de proyectos muy difíciles que nos daban la oportunidad de aprender muchas cosas nuevas.

La Víctima, el Chivo Expiatorio, el Enemigo, el Huérfano, el Traidor: todos estos papeles creados por nosotros mismos nos proporcionan «trabajos de amor» arquetípicos que nos ayudan a despertarnos a nuestra verdadera naturaleza. Cuando somos capaces de superar nuestra consciencia victimista, comenzamos a profundizar en nuestro compromiso con vivir nuestra vida en toda su plenitud y a reconectar con nuestro verdadero objetivo que nos ha traído aquí.

LA COMPASIÓN Y EL PERDÓN CURAN EL SUFRIMIENTO

Aunque no podamos evitar el sufrimiento, podemos aprender a responder ante él con compasión hacia aquellas personas que nos han producido sufrimiento y hacia nosotros mismos por haber caído en la miseria. Perdonar a aquellas personas que nos han hecho daño es uno de los aspectos más sanadores del Amor divino. Cuando perdonamos a alguien, renunciamos a algún patrón de fariseísmo o de pensamiento unilateral. Nuestro Yo superior sabe que despojarse de la culpabilidad, incluyendo la culpabilidad personal, es esencial para nuestro bienestar.

Yo tuve una madre alcohólica a la que, después de varios años realizando un trabajo interior, he sido capaz de perdonar. Ella era una persona afectuosa y cálida que permitió que el alcoholismo la convirtiera en todo lo contrario de lo que quería ser. Cuando maduré, me sentí profundamente triste por todo el potencial que no sabía que tenía y por el modo en el que ella se había decepcionado a sí misma. Mi madre me enseñó a sentir compasión por los enfermos y por los heridos, y me señaló mi verdadero trabajo en esta vida. Puede que incluso hubiera sacrificado su propia felicidad para enseñarme esto. ¿Quién sabe? Nunca sabemos la verdad del karma o del objetivo sagrado de los demás. ¿Quiénes somos nosotros para juzgarlo?

Como terapeuta, me he dado cuenta de que hay personas que, sin darse cuenta, han hecho del victimismo su profesión, utilizando la culpabilidad para coaccionar a los demás a hacer lo que ellas quieren. Es como el viejo chiste del hijo adulto que telefonea a su anciana madre.

—¿Cómo te encuentras, madre? —pregunta el hijo.

—No muy bien —responde la madre.

—¿Qué te ocurre? —pregunta el hijo, con preocupación.

—No he comido en diecisiete días.

—¡Diecisiete días! —responde el hijo.— ¿Por qué no has comido? ¿Qué te ocurre?

—Es que no quería tener la boca llena cuando me llamaras.

Si tienes una víctima perpetua en tu familia, es difícil no caer en la trampa de pensar que es responsabilidad tuya «salvar» a esta persona. Eso no es amor; es codependencia y una de las bases sobre las que se asienta es el victimismo.

Cada víctima necesita un perpetrador. La consciencia victimista te mantiene concentrado en el «enemigo que está ahí fuera», en alguien que «te debe algo». Este punto de vista te descapadita y sienta las bases para que se den las condiciones necesarias que hagan que sufras una y otra vez. Mientras esperas ser una víctima, una hilera de «perpetradores» se extenderá en el futuro de tu vida tanto como puedas imaginar. Irónicamente, es tu pensamiento el que crea el concepto de «perpetrador». Y todavía es más irónico ver que las víctimas pueden convertirse en perpetradores cuando van detrás de «aquellos que le han hecho daño». El proceso víctima-perpetrador funciona como un péndulo que oscila de un papel a otro. Sea cual sea lo que te obsesiona y lo que alimenta tu emoción acabará por manifestarse. Sin lugar a dudas, eres así de poderoso.

Puedes crear cualquier realidad que desees, pero no cambiando tus circunstancias externas o cualquier cosa que ya se haya puesto en movimiento, sino construyendo con cuidado la imagen mental de hacia dónde te gustaría ir desde aquí y quién te gustaría ser. Si aceptas tu pasado por el bien que te proporciona, puedes dejar de malgastar tu preciosa energía mirando hacia atrás en una actitud de víctima-perpetrador. Puedes entrar con confianza en el plan divino que se ha diseñado para el futuro de la humanidad y empezar a concentrarte en tu parte que está todavía sin desvelar.

LA LECCIÓN DE LA VIDA

Estar sentado en tu propio poder

Si te identificas como una víctima de la vida en general o de alguna persona en particular, te encuentras en un serio problema espiritual. Estás entregando tu poder a algo o a alguien, olvidándote de quién eres verdaderamente. Los perpetradores te rodearán, tanto los reales como los imaginarios, y sabrás si esta lección de la vida se aplica a ti.

En muchos casos podemos llegar al fondo y saber cómo ayudamos a cocrear nuestros sentimientos de «víctima». Si tu sufrimiento se manifiesta en forma de falta de recursos económicos, pregúntate a ti mismo lo generoso que has sido con los demás y también contigo mismo. Tal vez simplemente asumiste una actitud primaria de un pariente hacia el dinero y nunca desarrollaste una actitud por ti mismo. O puede que seas adicto al sentimiento de no ser digno de disfrutar de cierta abundancia. Si en este momento padeces soledad o sentimientos de abandono, pregúntate a ti mismo si realmente eres capaz de ser una buena compañía para ti mismo o para los demás. ¿Tal vez de manera inconsciente configuras tu vida para poder estar solo? ¿Has elegido deliberadamente el aislamiento?

Si tu sufrimiento se ha manifestado en forma de una enfermedad física, examina si tu problema ha aparecido con el fin de enseñarte a reevaluar qué cosas son importantes en tu vida. O quizás vas a sanar tu enfermedad utilizando las leyes naturales de la sanación y una reidentificación con ese ser superior que hay en ti y que nunca está enfermo. Tal vez deseas ser un modelo de ello para todos nosotros. Sin lugar a dudas, eres consciente de que algunos han superado incluso los casos más graves de cáncer o de distrofia muscular.

El universo dice «sí» a cualquier cosa a la que llamamos nuestra verdad y la convierte en nuestra realidad. Nadie es capaz de escapar a la ley cósmica de causa y efecto. Para superar los sentimientos de victimismo puedes aprender a gobernar tu vida con un cetro y no con una espada. Ahora bien, ¿qué demonios quiero decir cuando afirmo esto? Simbólicamente, una espada sirve para partir las cosas en dos: «Es un enfrentamiento entre tú y yo». Mientras que un cetro simboliza la regla serena del Yo centrado que se encuentra sentado en su poder: «Tú y yo somos uno». El Yo capacitado sujeta un cetro, no una espada, ya que sabe que todo está conectado y que no se puede combatir contra nada, sino que sólo se puede aceptar y reconocer tal y como verdaderamente es y luego tratarse como tal en una relación adecuada.

Un cetro, o una varita mágica, simbolizan la dimensión espiritual o creativa de la consciencia. Agita una varita mágica y podrás cambiar la imagen de algo con un destello. A diferencia del guerrero que gobierna con una espada, el guerrero espiritual gana a sus oponentes a través del amor y de la creatividad. Nuestro mundo está ansioso por encontrar a este estilo de gobierno más amable propio del guerrero espiritual.

Si por lo general esgrimes una espada, es posible que desees preguntarte a ti mismo si esta dureza está haciendo más mal que bien. Si sientes que careces de la voluntad o de la capacidad necesaria para realizar cambios positivos en tu vida, puede que te hayas convertido en tu propio opresor. La espada de la negación personal te está manteniendo subyugado con más eficacia que cualquier otro enemigo o circunstancia externa.

Aunque hayas cometido un error terrible o hayas dado un giro equivocado a tu vida, debes observar si puedes ser amable contigo mismo mientras aceptas «la parte de culpa que has tenido» para que apareciera el problema. Trata de reconocer algún nuevo talento o cualidad positiva que hayas estado incubando y que todavía no te habías dado cuenta de que poseías. Esta nueva cualidad o talento puede ser el que hayas pedido que brotara en este momento para superar cualquier tendencia que tengas hacia el victimismo.

El siguiente ejercicio puede ayudarte a ir más allá de la consciencia victimista en tu expedición para reclamar a tu Yo pleno.

LA PRÁCTICA

Analizar el victimismo

Recuerda que la Víctima es una subpersonalidad. Es una conducta que todos tenemos en mayor o menor medida. Esta personalidad controla a nuestro Yo consciente cada vez que nos sentimos desairados, traicionados, abusados, ignorados o que se han aprovechado de nosotros. Durante este mes, utiliza tu Yo Observador para advertir si sientes cualquiera de estos sentimientos negativos hacia las situaciones de tu vida o hacia las personas con las que te relacionas y en qué momentos lo haces.

Anota en tu «librito» cada vez que uno de esos sentimientos te in-

vade. Y observa el argumento que estás utilizando para sentirte victi-
mizado. A continuación, dedica cierto tiempo a asumir tu parte de
culpa en todo lo que está sucediendo y está causando que tengas estos sentimientos. Debes ser radicalmente sincero contigo mismo.

Mientras observas las distintas veces en las que te sientes como
una víctima de algo o de alguien, pregúntate a ti mismo qué posible
cualidad necesitarías demostrar para superar este sentimiento. ¿Valor? ¿Discriminación? ¿Aceptación de las cosas tal y como son? A
continuación, invoca a esta cualidad positiva y practica el modo de
asumirla. Utilizando tu imaginación, puedes crear una subpersonalidad positiva que te permita superar cualquier actitud de debilidad
que haga que te sientas una víctima. ¿Qué tal un rey vikingo? ¿O
una diosa que cabalga a lomos de un blanco corcel? Debes estar dispuesto a superar aquello que te falta para trascender cualquier evi-
dencia de victimismo que haya en tu vida. El victimismo engendra
impotencia. Ya no lo necesitas, así que debes librarte de él.

* * *

El siguiente ejercicio de imaginación te ayudará a devolverte a
tu Yo.

RECLAMAR TU LIBERTAD

Un ejercicio de imaginación guiada

Cuando te sientes atrapado en una consciencia victimista, tienes
la sensación de que te encuentras a merced de algo o de alguien.
«¿De qué sirve combatir contra esto? —afirmas—. No puedo ganar
en esta situación. O, si lo hago, va a suceder algo que acabe por echar-
lo todo a perder.»

Si éste es tu patrón de conducta, tómate ahora tu tiempo para cerrar los ojos y entrar en un estado de reflexión... Entra en pleno contacto con este sentimiento.

Ahora retrocede en el tiempo y recuerda una situación en la cual te hayas permitido el lujo de sentirte una víctima y lo cómodo que era perder la sensación de control o sentirte demasiado impotente...

Si aparece la sensación de culpabilidad, haciéndote sufrir de esta manera, no olvides que dejarte llevar por la corriente de la culpabilidad es otra forma de victimismo. Por tanto, debes permitir que la culpabilidad se disipe y no apegarte a ella. En su lugar, procura ser más despreocupado acerca del modo en el que algunas veces representas el papel de la víctima y observa a ese ser que habita plenamente en ti... A continuación, ponle un nombre gracioso, como la «Pobrecita Polly» o el «Marchito Willy».

Y, con todo tu corazón, deja que una sensación de compasión y de calidez fluya sobre ti en este pequeño fragmento herido de tu ego... Deja que te hable ahora y que te exponga sus juramentos... Escúchalo... Dile que le perdonas por los problemas que te haya causado, que entiendes que sólo trataba de ayudarte... Y ahora libérate de esta subpersonalidad con amor... A medida que su imagen se disipa, siente cómo su esencia penetra en tu corazón en su forma positiva, que es la *precaución* y la *discriminación* meticulosa que concierne a aquellas personas a las que entregas tu corazón o tu preciosa energía... Mientras haces esto, toma nota de tu ser que está abrazando esta parte de ti mismo, ya que este ser poderoso es la persona que verdaderamente eres...

Dedica cierto tiempo a sentirte anclado en tu Yo real... Observa cómo es tu postura, observa cómo te comportas... E imagina que estás tomando una decisión que de ahora en adelante te permita actuar en esta libertad de ser tu Yo.

11

EL SEXTO PRINCIPIO PERSONAL

«Tu deseo natural es el amor de Dios que vive en ti»

Si una persona persigue lo que yo llamo su «dicha»
—eso que realmente te mantiene profundamente
en pie y aquello que sientes que es tu vida—
las puertas se le abrirán.

JOSEPH CAMPBELL

¿QUÉ ES, ENTONCES, EL DESEO?

Los deseos son las esperanzas y los anhelos de los que están hechos tus sueños; el combustible que impulsa tus intereses. Tus deseos son tus anhelos, tus atracciones y tus pasiones. Ésta es una de las verdades psicológicas más difíciles que debemos asimilar debido a nuestras impresiones religiosas. En multitud de ocasiones nos han advertido que debemos temer los deseos humanos y que debemos reprimirlos porque son vergonzosos e inferiores a los espirituales. O nos dicen que nunca debemos permitirnos mostrar sentimientos intensos. Y sin lugar a dudas es cierto que los sentimientos intensos pueden ser caóticos y abrumadores, y cuando estamos atrapados por un deseo podemos sentirnos fuera de control. Así que debemos bloquearlos.

Las atracciones intensas llegan a nosotros en forma de un Destino; se manifiestan más allá del control de nuestro intelecto. Por ejemplo, ¿qué supones que te atrae tan intensamente de otro ser humano? Sin lugar a dudas no es el intelecto. Sabes que es imposible hacer que te enamores de alguien, independientemente de lo lógico o de lo perfecto que pudiera parecer esa decisión. Por tanto, debemos llegar a la conclusión de que toda atracción magnética que podamos sentir procede de un lugar más profundo de nuestro interior y contiene una lección que es necesario aprender o una expresión de alma de que quiere avanzar. Nuestros deseos son nuestra fuerza motivadora, la Ley de Atracción cósmica que opera en nuestras vidas.

Algunos caminos espirituales incluso nos dicen que tenemos que «acabar con el deseo» y privar de gratificación a nuestras necesidades humanas si deseamos ser espirituales. Sin embargo, esto supone una violación de la ley psicológica, la ley de la naturaleza humana. Las personas más tristes y frustradas que conozco son aquellas que se niegan a sí mismas disfrutar de la vida, temerosas de estar violando la ley espiritual al permitirse deleitarse de su condición de seres humanos.

Cuando un intenso deseo humano es reprimido, se convierte en una necesidad no satisfecha que se encierra en el armario de la represión y en una negación en tu mente subconsciente hasta que, un día, esta necesidad sale a la luz cuando menos te lo esperes. El ministro de la Iglesia casado se ve atrapado en los brazos de una amante; la pareja perfecta se ve envuelta en una devastadora batalla por la custodia de los hijos.

Una de las tareas más importantes en el viaje sagrado a la plenitud es aprender a confiar en que tus deseos son el modo en el que Dios se traduce en un corazón humano. Todo aquello hacia lo que te sientes atraído sirve para recordarte algo que necesitas sentir en toda su plenitud, aunque eso que podrías necesitar es posible que sea una lección muy dura. De lo contrario, no sentirías ese impulso con tanta fuerza; no habría ningún interés.

Si echaras la vista atrás en tu historia de amor personal, verías que toda atracción contenía una necesaria expresión del alma o una lección acerca del amor y del desamor que necesitabas aprender. Puedes confiar en que los verdaderos deseos de tu corazón —lo que el mitólogo Joseph Campbell denomina «nuestra dicha»— son punzadas agradables que proceden directamente del Yo.

La clave está en conocerte a ti mismo lo suficientemente bien como para poder discriminar entre lo que es un deseo del alma y lo que es una necesidad compulsiva del ego. Un deseo que procede de tu alma es como un intenso anhelo de ser alguien superior, alguien más espiritual, más bondadoso o que esté más en línea con la obra de tu vida y con la expresión de tu verdadero Yo. Puedes llegar a sentir este deseo como un anhelo en tu corazón. Existe un cuarto nivel de deseo consciente que procede del amor. Un deseo del alma siempre te conducirá a un lugar mejor y nunca producirá dolor a uno mismo ni a otra persona.

Un deseo del ego, por otra parte, se siente como una presión en las tripas, como un sentimiento agitado que se manifiesta en tu estómago. Éste es un tercer nivel de apremio consciente que se dirige a alguna empresa psicológica que no se ha concluido, que debería identificarse, aceptar su deseo y, a continuación, integrarse. Los anhelos compulsivos y adictivos de un ego necesitado pueden proporcionarte información muy valiosa sobre cuáles son tus necesidades no satisfechas; es decir, *si permaneces consciente*. Puedes aprender a disciplinar el modo en el que permites que se manifieste este ego. Una vez que ya sabes lo que es el deseo, muchas veces puedes encontrar una manera saludable de satisfacer la verdadera necesidad que se encuentra enterrada bajo algo que podría estar disfrazado de un impulso del ego con el fin de conseguir poder y de atraer la atención de los demás. ¿Te das cuenta de lo que quiero decir? Aprendes a preguntarte a ti mismo: «¿Qué está pasando *verdaderamente* aquí? ¿Qué es lo que realmente estoy buscando?»

Las personas que tienen graves problemas de adicción conocen ese estado de apremio, que afirman: «¿Quiero lo que quiero y cuando lo quiero», sin apenas pensar en las consecuencias de ello. Las ganas de consumir azúcar, de satisfacer el apetito sexual, de emborracharse o de entregarse a las drogas, y algunas veces de tener incluso violentos arrebatos emocionales, pueden ser un resultado final desastroso. Dar rienda suelta a nuestros deseos básicos tiene consecuencias extremas, como acabar en la cárcel, la pérdida de prestigio o de éxito, la pérdida de la familia y de los amigos, y la humillación pública. Todos sabemos esto. Sin embargo, no es necesario pagar ninguno de estos precios para que una personalidad obstinada aprenda la lección o para darse cuenta de que la adicción que padecemos necesita tratamiento. Un «veterano» de Alcohólicos Anónimos me advirtió una vez: «¡Nunca le quites el dolor a un borracho, ya que eso es lo que le conducirá a curarse!»

La intensidad de la naturaleza de tu deseo es lo que en última instancia te llevará al cumplimiento de tus ideales. Por tanto, nunca queremos denigrar lo que anhelamos ni tratamos de destruir nuestras pasiones a través de mecanismos o de la represión. Negar nuestros verdaderos sentimientos es un semillero para que se manifieste la sombra y para tener una falsa espiritualidad que esté completamente contaminada. Tanto si el deseo procede directamente de tu alma como si procede de una necesidad insatisfecha del ego, reducir o reprimir el ansia de expresarlo nunca es una medida apropiada desde el punto de vista psicológico. La represión activa a la sombra y puedes estar seguro de que dará rienda suelta a tu deseo no reconocido de manera inconsciente y hará que, más tarde, te sientas mal por ello. Estoy seguro de que eres capaz de entenderlo. ¿Cuántas veces te has visto vergonzosamente atrapado en un arranque de celos, o has coqueteado con la pareja de otra persona, o has contado chismes de un amigo y luego te has dado cuenta de que el problema verdaderamente estaba en ti?

EL EMOCIONALISMO REMODELA TU RED BIOQUÍMICA/NEURONAL

La ciencia que trata de la medicina del cuerpo y de la mente ha descubierto que nuestras emociones están regulando constantemente todo aquello que experimentamos como «realidad». La decisión acerca de qué información sensorial viaja a través de nuestro cerebro y qué información se filtra hacia el exterior depende de las señales que reciban los receptores de los neuropéptidos que liberan las células cerebrales. Según la doctora Candance Pert:

Los péptidos son la partitura que contiene las notas, las frases y los ritmos que permiten que la orquesta —tu cuerpo— interprete la pieza como una entidad integrada. Y la música que se escucha es el tono o el sentimiento que experimentas subjetivamente como tus emociones» [10].

El cerebro, como fuente de nuestros estados emocionales, transporta esta información emocional a nuestros tejidos, a nuestros órganos, a nuestro corazón, a nuestros vasos sanguíneos, al estómago e incluso al sistema inmunológico. En consecuencia, nuestras emociones remodelan nuestras células receptoras y caen en la adicción de manifestarse una y otra vez. Nuestras respuestas emocionales, según estos investigadores, están guiando todas las decisiones que tomamos en nuestra vida. Al practicar de manera consciente formas nuevas y saludables de responder emocionalmente, podemos sanar nuestras emociones y abrir nuevos caminos neurológicos hacia nuestra estructura celular [11].

Como verdaderos buscadores de un camino espiritual que conduzca al bienestar, aprendemos el uso adecuado de los poderes de nuestros sentimientos, a no temer a nuestras pasiones y a no hacer un mal uso de ellas. Aquellas personas que sientan la pasión intensamente son las «musas del alma». Nunca queremos que nuestra luz sea tenue; nuestra naturaleza no es estar apagados o no ser creativos. Los deseos de tu corazón son el modo en el que el Amor de Dios se derrama en tu vida y te guía a lo largo de tu singular forma de expresión y de satisfacción personal.

ES UN SÍNTOMA O UN SÍMBOLO, ¿QUÉ PREFIERES?

Todos nosotros purificamos la naturaleza de nuestro deseo, nuestro cuerpo emocional, a través de la «exteriorización» o de la «interiorización». Cuanto más puedas «interiorizar», menos tendrás que «exteriorizar». Exteriorizar es el modo que tiene el ego de sanarte. Es el camino de la proyección. Tienes una necesidad simbólica de enfrentarte a una figura masculina autoritaria, así que libras un combate amargo con tu profesor que hace que te expulsen del colegio.

«Interiorizar» es el modo que tiene el alma de sanarte. A través del trabajo interior, atraviesas las imágenes y los conocimientos, y los sentimientos subjetivos que representan este problema; de ese modo, se cura el problema desde dentro hacia fuera.

Comprometerse a seguir el camino del trabajo interior te ahorra los problemas que aparecen cuando proyectas tus necesidades no satisfechas hacia los demás. Cuando eres incapaz de reconocer o de expresar una necesidad interior no satisfecha, a menudo echas la culpa a los demás o a la vida en general por negarnos aquello que deseamos.

LA LECCIÓN DE LA VIDA

La sanación de tu cuerpo emocional

Ahora puedes ver lo crucial que es para tu bienestar que tu cuerpo emocional se sane. Aparentemente, nuestras emociones no sólo están creando enfermedades en nuestras actitudes mentales, sino que también están remodelando nuestra estructura bioquímica.

Así que, por ahora, podemos presumir de que tus pasiones te están llevando a aprender las lecciones que tienes que estudiar para expresar verdadero amor en la vida. Y todos nosotros necesitamos aprender esas lecciones. Aceptar esto como una tarea que debes llevar a cabo necesariamente eliminará la vergüenza y la culpabilidad que está asociada a cualquier cosa que puedas considerar «elevada» o «baja».

Te das cuenta de que debes asumir la responsabilidad de tus reacciones emocionales y nunca debes actuar siguiendo cualquier deseo que pueda producirte un daño a ti mismo o a otras personas. Por tanto, esto es lo que debes hacer cuando te invade un fuerte deseo o anhelo:

- Sigue adelante y *siente* el deseo (que no será capaz de ayudarte a sentir de ningún modo, así que debes entregarte verdaderamente a él) y, a continuación, sé sincero acerca de lo que estás verdaderamente anhelando.
- Imagínate a ti mismo dando rienda suelta a este deseo y llévalo hasta el final de la historia, de sus consecuencias o de sus resultados finales.
- Ahora, en tu mente, contempla cuál es el apremio que te llevó a darle rienda suelta; piensa en él para determinar si es un verdadero deseo del corazón o si es una compulsión que no puede conducir a nada bueno. ¿En qué parte del cuerpo lo has sentido?
- Anota en tu «librito» todo lo que necesites saber acerca de lo que supone desear esta cosa en particular. Escribe furiosamente, hasta que hayas empleado toda tu energía en este tema. A continuación, observa cuál es el deseo subyacente que está impulsando esta pasión. ¿Qué crees que te falta?

Si se trata de una necesidad del ego, procederá de uno de los chakras inferiores: una necesidad de sentirte a salvo y protegido, una necesidad de tener intimidad y pertenencia, una necesidad de confiar en ti mismo o de tener una autoestima más alta. Resultado final: las necesidades del chakra inferior son un reflejo de tu necesidad de atención, de ser amado o apreciado tal y como eres.

A través de este tipo de sinceridad personal radical, puedes encontrar una manera de satisfacer el deseo de una manera consciente y saludable.

LA PRÁCTICA

Aprender a estar «a cero»

Un ejercicio de imaginación guiada

Si sientes que a menudo demuestras reacciones desequilibradas o extremas, que muchas veces estás a merced de la naturaleza de tus sentimientos, puedes superar esto si aprendes a permanecer en un «punto cero» en tu psique. Eso te mantendrá en tu centro, en el punto cero, tranquilamente equilibrado entre las dos caras de cualquier extremismo emocional.

Encuentra un lugar tranquilo donde puedas estar solo durante un tiempo. Deja que tu cuerpo se relaje y que tu mente se tranquilice.

Cierra los ojos y visualiza que te encuentras en el centro de un círculo. Tú eres el punto que está en el medio, de pie, con todo tu potencial como un alma en forma humana... Asimila este sentimiento visualizándolo claramente e intensamente durante unos instantes...

A continuación, imagina una línea invisible de fuerza que hace que haya un círculo sobre tu cabeza y por debajo de los pies, desde la parte posterior a la parte delantera de tu cuerpo... Imagina una segunda línea que ahora circunda tu cuerpo (tal y como lo haría un *hula hoop*)... De tal modo que ahora te encuentres completamente circundado por encima, por debajo y a tu alrededor. Siente que ese encierro es un contenedor de seguridad, que te aísla de cualquier influencia externa... Y sé consciente de que te encuentras dentro de este contenedor como una burbuja, donde nada que proceda de detrás de ti, de delante de ti o de cualquier lado pueda influir en tus emociones...

Siente cómo la burbuja se queda «preñada» de calor y del completo silencio... De la paz perfecta...

Tómate tu tiempo para anclar este sentimiento y, a continuación, regresa a tu ordinaria realidad, sabiendo que ahora eres capaz de crear esta «burbuja» como si estuvieras abriendo un paraguas, en un abrir y cerrar de ojos, cada vez que comiences a sentirte abrumado por una emoción no deseada o por la energía no deseada de alguna persona.

* * *

INVOCAR AL AMOR Y A LA INSPIRACIÓN

Un ejercicio de imaginación guiada

Puede que seas una persona que, en lugar de sentir una emoción excesivamente caótica, casi nunca siente emociones intensas. Careces de pasión en tu vida y muchas veces tienes la sensación de que no haya nada que te interese o que te emocione.

Eros es el hermoso dios del amor y de la inspiración que aviva los fuegos espirituales de nuestra pasión por la vida. Es un espíritu que vive en nuestra psique y hace que sea posible que se produzca un constante revivir del alma. Cuando sentimos que nos hemos enamorado —de alguna actividad, de alguna persona o sólo de la vida en sí— nos sentimos llenos de fuerza vital y en contacto con el Espíritu.

Puedes acceder a Eros a través de tu imaginación creativa cada vez que sientas esta languidez o una incapacidad para amar.

Cierra los ojos y observa el aspecto que tiene Eros mientras lo imaginas en tu mente... Deja que las energías de este Amante interior penetren en tu corazón y llenen todo tu cuerpo de sentimientos de calor y de amor...

A continuación, piensa en alguien a quien amas o que hayas amado: en una persona o en un animal... Deja que tu imaginación dé rienda suelta a todos los sentimientos, a todos los recuerdos, a todas las sensaciones físicas que están conectadas con este amor. Deja que tu cuerpo realmente experimente esto...

A continuación, deja que estos sentimientos de amor te conduzcan a algún proyecto, a una creación artística o a un trabajo que actualmente estés llevando a cabo, y siente el amor y la inspiración como un arrebato cálido que atraviesa tu mente y tu corazón... Y bendice este proyecto con todo tu amor.

Deja que Eros se revele ante ti una vez más y escucha el mensaje que te está susurrando al oído... Dale las gracias por lo que te está dando y siente cómo lentamente regresas a tu realidad ordinaria.

Dedica cierto tiempo a reflexionar sobre cualquier mensaje que puedas haber recibido y anótalo en tu diario. Y descubre que entrar en contacto con Eros es una tarea que puedes llevar a cabo en cualquier momento en el que sientas que careces de espíritu en tu vida. Aprende que has descubierto a un compañero interior y la alegría de un amor secreto que permanecerá a tu lado para siempre.

12

EL SÉPTIMO PRINCIPIO PERSONAL

«Aprendemos a vivir dentro de la tensión entre opuestos como "caminantes en dos mundos"»

Todas las cosas de Dios vienen por pares.

CARL JUNG

EL DUALISMO ES UNA REALIDAD QUE PERTENECE AL PLANO FÍSICO

¿Eres capaz de pensar en alguna cualidad de la vida que no tenga su exacto opuesto? Estoy segura de que no puedes, porque todo lo que hay en la vida tiene su otra cara. Amor, desamor; correcto, equivocado; éxito, fracaso; consciencia, inconsciencia…, y así sucesivamente. La naturaleza de esta realidad material es dual, y existe un objetivo sagrado que explica por qué esto es así. Aprendemos a amar experimentando el desamor. Sentimos que hemos tenido éxito porque conocemos lo que es el fracaso. Sabemos cuándo nos encontramos en el buen camino en nuestra vida experimentando lo que se siente cuando nos hemos descarriado. Para conocer verdaderamente a una auténtica unión, primero debemos experimentar la ilusión de la separación. Hemos «caído» de un mundo espiritual no creado en este mundo de materia creado; por tanto, hemos experimentado nuestra primera dualidad: procedemos de lo *no creado* a lo *creado*.

El Yo es una batería plena de opuestos precisamente porque no puede haber realidad sin polaridad. La luz no existe hasta que no golpea a un objeto. Ambas caras de cualquier oposición componen una verdad sagrada. De hecho, podríamos decir que una cara ni siquiera podría existir sin la otra. Si el Uno se despoja del Otro, perdería su personalidad. Y ambos se apartan el uno del otro para poder existir en toda su plenitud. Por tanto, se produce una tensión de opuestos. Para poder mantener la tensión de opuestos es necesario que comprendas y aceptes que lo Divino tiene dos caras y que, para ser pleno, el Yo debe aceptar a ambas.

LA UNIÓN DE LOS OPUESTOS

Todos los opuestos que hay dentro de nosotros son «amantes» que buscan unirse. Cuando hay un verdadero Amor, no existe una alfombra bajo la cual se pueda meter todo lo que se barre. Todo se ve, se siente y se reconoce como algo valioso. Ésa es la verdadera responsabilidad. La función psíquica de cualquier separación que alguna vez hayamos sentido que se produce en nuestro interior es crear el «fuego por fricción» que nos obliga en todo momento a resolverla. Vamos de un lado a otro en un péndulo de angustia personal hasta que alcanzamos algún nivel superior, donde el problema se puede «hacer claro» en una forma nuevamente creada de conocerlo.

Para poder trascender una situación contradictoria que haya en la vida, primero debemos experimentar sus dos caras por separado, la luz y la sombra, el «sí» y el «no» de ella. Los opuestos son igualmente impactantes. Podemos hacer juicios de cada lado comprendiendo que la dualidad es creatividad en movimiento. A continuación, podemos aprender a conseguir que cada opuesto que está en nuestro interior se complemente en lugar de hacer que entren en conflicto. Cuando se invierte demasiada energía en una mentalidad disyuntiva, perdemos nuestro equilibrio. Y el equilibrio, o vivir a «medio camino», siempre será el camino más elevado. Por tanto, ésta es nuestra tarea. Cuando se integra algo, podemos ver lo sagrado que hay en todas nuestras contradicciones y la «fricción» creativa que nos proporcionan.

LA NATURALEZA DE LA DUALIDAD

En la dualidad, solemos odiar o amar. En la unidad, aceptamos a los demás tal y como son y lo que representan. En la dualidad, o eres un éxito o eres un fracaso. En la trascendencia, te encuentras exactamente donde estás, sin realizar ningún tipo de juicio. Nada se niega; nada se deja de lado. A través de la experimentación de la tensión entre opuestos, todo se lleva a su auténtica plenitud en un tercer o superior nivel de consciencia. Si sólo nos permitimos experimentar el lado positivo de cualquier polo, demostraremos una actitud completamente ingenua acerca de cómo funciona este polo. Entonces, seremos noqueados en algún momento por nuestra propia ignorancia. Hasta que no seamos capaces de reconocer y de aceptar este principio de la vida, iremos rebotando de un lado al otro, viviendo en una disyuntiva, o estaremos desequilibrados, tratando con completa futilidad de vivir sólo desde el lado positivo del polo, o nos veremos atrapados y sin esperanzas en el lado negativo. La sabiduría se alcanza después de haberlo experimentado todo. Al pasar de la disyuntiva a la aceptación se puede llegar a la sabiduría. Descubrir que «el tercer y superior nivel» es la Ley de la Trascendencia en toda su fuerza.

Por tanto, cada vez que tienes un par de opuestos en conflicto que te impulsa a beber, afírmate a ti mismo que vas a trascender la separación. A continuación, a medida que vas sabiendo voluntariamente y aceptando ambos lados de tu dilema, observarás cómo cada vez que «se une» cada par, se crea una tercera y superior cualidad. Por ejemplo, cuando la pereza mina tu actividad, nace una eficiencia equilibrada. Cuando tu lado tacaño acaba con tu flamante gastador, puedes disfrutar completamente del placer que proporciona hacer «buenas compras».

A veces escuchas decir que todos queremos vivir en consciencia de unidad, que no existe eso que se llama dualidad. Esto es una equivocación. La mayor verdad es, por supuesto, que *todo es uno*. Sin embargo, la vida en un planeta de creación como la Tierra es una *antinomia: dos opuestos totales que viven juntos en armonía y que forman un todo*. El símbolo que mejor representa esta aparente dualidad es el símbolo chino del yin y el yang: un círculo que contiene un lado oscuro curvo con un punto claro en su interior y un lado claro curvo con un punto oscuro en su interior, viviendo juntos como una sola cosa. Algunas personas llaman a esto el matrimonio de los principios masculinos y femeninos que son capaces de crear la realidad.

Cuando el Yo, como nuestra consciencia, penetra en cualquier dualidad aparente, realmente funciona como una tríada que, en el punto álgido de dos opuestos cualquiera en conflicto, se convierte en un punto de integración. En los cuerpos humanos percibimos la separación antes de llegar a trascenderla; por tanto, en los dos lados inferiores del triángulo libramos una batalla con los opuestos. Este «fuego por fricción» es el modo en el que funciona la creatividad, o «la ley de los tres». Así es como llegamos a ese tercer o superior camino de hacer o de ser cualquier cosa. Einstein dijo que nunca podemos solucionar un problema en el mismo nivel en el que fue creado.

«Lo claro, lo oscuro, no hay diferencia», señala el médico y maestro espiritual Brugh Joy. El Yo sabe cómo incluir la sabiduría desde ambos lados de la polaridad —lo oscuro y lo claro, lo humano y lo divino— «conociendo» la naturaleza del otro. Por tanto, se pueden integrar y trascender los dos lados en una sola cosa desde donde se ha originado.

LA FUNCIÓN TRASCENDENTE

Tratar de vivir sólo en la cúspide hace que nos perdamos el punto de creación: el proceso de lucha con los opuestos, conocido en la terapia jungiana como «la función trascendente», te lleva más allá de la tensión. Descansamos en el «punto cero», que se encuentra en la mitad, aunque en un plano superior de entendimiento. No podemos negar el proceso de opuestos en conflicto sin aterrizar en una realidad no asentada. Para realizar la unidad es necesario que aceptemos e integremos *ambas caras* de las polaridades. De lo contrario, se deja una de las caras sin integrar y ésta se convertirá en una sombra y se manifestará de manera inconsciente. Si piensas en ello durante un instante, te darás cuenta de lo lógico que es esto. ¿Cómo podemos llegar a ser plenos si sólo tratamos con una cara de algo mientras se niega la otra cara?

Para progresar en el viaje espiritual debes afrontar el terrible trago divino de saber cómo te puedes relacionar con todo tu ser y con toda la vida humana, tanto con la sombra *como* con la luz, que muchas veces se polariza tanto en lo humano como en lo espiritual. Cuando se observan en su verdadera naturaleza, ambas caras tienen una función sagrada. Tal vez has sentido esta oposición dentro de tu ser y no has sido capaz de comprender su naturaleza sagrada y eterna. Podrías estar en peligro de ser eliminado por el lado oscuro de la vida, adicto a tus miserias, o aterrorizado por todo el sufrimiento que hay aquí: guerras, hambre, enfermedades, crueldad, miserias de la humanidad. Si pierdes pie, te arriesgas a caer en la oscuridad de la depresión y a perder el significado. Podrías dejar de creer en Dios, o pensar que no merece la pena vivir la vida.

TU TAREA CONSISTE EN ESTAR «A CERO»

A medida que afrontas la oscuridad en este mundo, aportas consciencia a cualquier actividad, permaneces en pie en tu verdadera identidad como un «portador de luz», como una persona que está dispuesta a aceptar la oscuridad en sus propios términos, sin tenerle miedo, y ajustando su intensidad. Permanecer firmes «a cero», el punto en el que el impulso magnético de los dos polos contrarios es igual, se siente como si vivieras en calma sin apegarte a nada. Eres capaz de pensar y de actuar claramente, sin reaccionar excesivamente a ningún extremo.

Nuestro compromiso para experimentar la plenitud es la danza de la encarnación en sí. Todas las adicciones y las disfunciones humanas viven en los extremos. La aceptación personal, tal y como eres, reside en la cúspide del punto unificado. «La luz, la oscuridad, no hay diferencia».

A continuación, permíteme que te explique algo que es muy importante: poseer algún aspecto oscuro de tu ser no significa que tengas que darle rienda suelta o que dejes que te domine. Significa que reconoces los sentimientos o los deseos contrarios como una parte de tu ser y los tratas según su naturaleza. Tu sombra tiene su propia naturaleza. Un escorpión tiene la naturaleza de un escorpión. Tu sombra tiene la naturaleza de una sombra. Tu Yo tiene una naturaleza humana/divina. Así que debes tratar a cada una de ellas con respeto por ser *como es*.

Cada vez que te sientas atrapado por alguna oposición aparente, haz un alto, y pregúntate a ti mismo: «¿Cuál es la naturaleza de esto cada vez que necesito comprenderlo? ¿De qué estoy tratando aquí?» Gracias a tu disposición a entrar en cada lado de la polaridad —sólo con comprobarlo— aparecerá la respuesta. La luz de la consciencia es el transformador.

LOS OPUESTOS SON AMANTES QUE TRATAN DE UNIRSE

¿De qué modo podría manifestarse ante ti esta complejidad necesaria de una manera que resulte vivificante? El lado humano de cualquier conflicto proyectará una sombra, ya que está hecho de una forma concreta. Por tanto, podemos llamarlo «lo oscuro». El lado espiritual no tiene forma y no proyecta ninguna sombra, así que lo llamamos «la luz». Veamos ahora algunos ejemplos.

En tu vida laboral, tu objetivo pasional (lo oscuro) y el objetivo espiritual (lo claro) se pueden unir para convertirse en una vocación apasionada. En tu vida personal, la sexualidad humana (lo oscuro) y el amor espiritual (lo claro) pueden mejorar tus relaciones sexuales al nivel de un disfrute abrumador. El apetito (el lado humano) y los alimentos deliciosos (el lado espiritual) pueden convertir una comida en un festín para los sentidos y en una ofrenda espiritual para los dioses. La ira y la desdicha humana (lo oscuro) que hay en la voz de un cantante de ópera (la luz) pueden convertir una canción en una celebración del triunfo sincero sobre la adversidad. Debes recordar en todo momento que ambos aspectos de tu naturaleza tienen algo precioso que aportarte. Cuando lo Divino entra en contacto con la forma física con equilibrio y armonía, la Belleza y el Amor se hacen visibles.

Los opuestos que hay dentro de nosotros nunca olvidan el Yo del cual han emanado y a los cuales ansían regresar: el yo espontáneo y apasionado, y el intelecto seco y controlador. Confianza y desconfianza. El lado tranquilo y excitable de la naturaleza humana. La necesidad del ego de tener un éxito material y la llamada superior del alma. Estos opuestos se atraen magnéticamente el uno hacia el otro como «amantes» deseando relacionarse. Cuando eres capaz de reconocer estas dualidades como algo que pertenece a ambas, comenzarás a sentirte más cómodo en tu propia piel.

Te sentirás incluso más cómodo con los contrarios que contienes si eres capaz de recordar que toda cualidad aparentemente negativa contiene un don oculto. Mira por debajo de tu ira y descubrirás que has estado utilizando mal la energía del entusiasmo. La codicia está destacando tu necesidad de llenar alguna deficiencia. Si eres celoso de una cualidad que observas en otra persona, probablemente tienes la capacidad de desarrollar esa cualidad en ti mismo. Trata de encontrar la cualidad trascendente en todas las cosas y hallarás la magia sagrada que se encuentra encerrada en todo lo ordinario que hay a tu alrededor. Pruébalo, podrás verlo.

La principal tarea del Yo es ayudar a la humanidad a disolver el dualismo: ayudándola a aprender de *vivir dentro de la tensión entre los opuestos interiores complementarios*. Toda tensión entre opuestos culmina en una liberación que resuelve una tensión, de la cual aparece una nueva síntesis. Nuestra tarea aquí, en la Tierra, consiste en acelerar esta unión. Mientras practicas la forma de permanecer «a cero», de aceptar y tratar de manera natural ambos lados de cualquier dualidad, abres un camino para que el Yo penetre y te lleve a ese tercer camino superior.

LA LECCIÓN DE LA VIDA

Cerrar las puertas al dualismo

Por tanto, ¿qué quieres hacer con estos opuestos contrarios que te llevan a ser de una u otra manera, y algunas veces te hace caer en una confusión completa o en una indecisión que te paraliza? La ilusión es que tienes que tratar de ser positivo en todo momento y aplastar la inclinación negativa. Por desgracia, aquí nos encontramos con una paradoja: cuanto más ignoremos el lado no deseado, más grande se hace. El lado oscuro debe afrontarse con el reconocimiento no reactivo de lo que es: simplemente verlo y ponerle un nombre. Tratar de ser «sólo positivo» fortalecerá la cara negativa y creará más sombra; y, lo que es más, te llevará a tener un mero entendimiento superficial de todo el problema. Lo claro, lo oscuro y el tercer y superior lugar trascendente proporcionan profundidad y contexto a todo el problema que tengas entre manos.

Si estás estudiando este Principio y sientes una respuesta, es posible que estés atrapado en una cara de una polaridad, amando a una mientras tratas de reducir la otra. ¿Qué es? Aclárate y, en tu mente, tómate la libertad de explorar el lado que has repudiado. Observa lo que puedes estar negando, proyectando en los demás o lo que tienes que afrontar. Puede formar parte de tu naturaleza apasionada sentirte más feliz al ser conscientemente accesible a ti; quizás algún aspecto de tu sexualidad o una profunda pasión por algo. O puedes advertir con envidia algún talento en los demás, porque ese mismo talento no se ha expresado en *ti*.

A través de la aceptación de ambas caras de cualquier opuesto, se cierra la puerta al dualismo. Ésta es la lección que nos enseña la paradoja de cómo creamos verdaderamente la tercera y superior consciencia de unidad que contiene la sabiduría y la potencia de ambas caras. Y nunca es a través de la negación o de la repulsa de alguna de las caras. ¿De qué sirve lo claro si no eres capaz de encontrar una expresión en forma concreta? ¿De qué sirve lo oscuro si no comprendes su don y le das rienda suelta inconscientemente en forma de sombra? Tienes que ver que todos los opuestos son complementarios y que cada uno de ellos necesita al otro para su propia existencia.

Debes darte cuenta de que cada vez que dos opuestos rozan contra tu psique de manera enérgica, algo se encuentra en el propio proceso de trascendencia. Eres «un trabajo en progreso». Cuando eres capaz de ver las cosas de esta manera, descubrirás que la aceptación de tu problema no sólo se convierte en algo posible, sino también en un interesante desafío que tiene un objetivo sagrado. Por tanto, puedes tratar los problemas que aparecen en la vida como si fueras un valiente guerrero espiritual, en lugar de hacerlo como una persona que se siente impotente y desesperanzada.

CUESTIONES QUE TE DEBES PLANTEAR

Por tanto, debes preguntarte ahora mismo: «¿En qué tipo de dualidad estoy ahora mismo atrapado? ¿Hay algo en mi vida que estoy experimentando como "una disyuntiva" que necesita unificarse? ¿Considero que algo o alguien están equivocados mientras me veo a mí mismo como algo completamente adecuado?» A continuación, analízalo. Vas en camino de sentir una enorme desilusión.

Mira en tu interior y siente esta dificultad adicional que ahora mismo estás padeciendo. Una vez que seas capaz de sentirla, observa la ilusión que te ha atrapado. Mira a ambos extremos directamente a la cara. Penetra en ellos y siéntelos durante un momento. Aprende a conocer cada lado de dentro hacia fuera.

Cuando seas capaz de darte cuenta del valor que hay en ambos lados, regresa al centro e integra lo que hayas aprendido y observa cómo se trasciende en una nueva y más consciente forma de pensar, actuar o ser.

Observa si la lección que has aprendido tiene algo que ver con tu dependencia en algo que estás utilizando para que te haga sentir bien, en lugar de aprender a sentirte cómodo con la persona que eres. ¿Estás polarizando lo interior y lo exterior, creyendo que lo exterior es el lugar donde reside todo tu disfrute y tu pasión? O, por el contrario, ¿estás viviendo en el mundo místico de la vida interior, sin estar dispuesto a emprender alguna acción necesaria en el mundo exterior? ¿O hay algo negativo en tu vida actual que no deseas afrontar, así que tratas de vivir sólo en el lado positivo?

Tal vez te hayas vuelto desequilibrado en tus caras interiores masculina y femenina. El principio masculino es aquel que nos lleva hacia la afirmación y hacia la expresión con la dirección del poder y de la intención focalizada. Funciona más como la mente. El principio femenino que hay en el interior de cada uno de nosotros es la parte que nos lleva hacia la aceptación, y a aceptar más todas las diferencias, con una compasión sincera. Funciona más como el corazón. El masculino actúa y protege; el femenino acepta y acaricia. Ninguno de ellos es mejor que el otro y no es completo sin el otro. Toma nota de tu propio equilibrio o desequilibrio entre estos dos principios sagrados que manifiestan toda creación.

Si tienes que enfrentarte a algo no deseable que no deseas afrontar, en lugar de luchar contra él prueba lo siguiente: reconoce que existe una oposición, incluso de manera despreocupada. En el ojo de tu mente, «bésalo en la mejilla» para hacerle saber que lo has visto. A continuación, sigue adelante con tus asuntos de manera consciente y afectuosa, emprendiendo cualquier acción con compasión sincera. Algunas veces es tan sencillo como eso.

Si ésta es tu lección, ahora te están pidiendo que dejes de luchar contra el factor en oposición que hay en ti o en otra persona poniéndote fanáticamente del lado de alguno de ellos. No tienes que estar a merced de la negatividad que crea cualquier extremismo. Tu verdadero Yo desea ser renombrado como el maestro de su prole. Tu despertar acelerará con más gracia cuando afrontes los opuestos polares que se encuentran dentro y alrededor de ti con facilidad. Ya no tienes que estar dividido por más tiempo. La puerta que conduce al dualismo se ha cerrado.

Resulta maravilloso darse cuenta de que nunca tienes que negar ninguna parte de tu yo humano para ser espiritual. Sólo tienes que estar dispuesto a ser consciente en todo momento de todo lo que está ocurriendo dentro de ti y de cómo lo estás expresando. No olvides que eres un ser espiritual que está aprendiendo a ser humano. Y, lo que es más, tienes la capacidad de permanecer de pie en tu Yo centrado, sea cual sea el viento contrario que te azote. El siguiente ejercicio te mostrará el modo de hacerlo.

LA PRÁCTICA

La exploración de los extremos

Todas las adicciones emocionales viven en los extremos de actitudes y creencias disyuntivas. Tómate tiempo este mes para llegar a conocer qué «causas» en la vida crean una tensión emocional en ti. Explora con profunda sinceridad cualquier reacción extrema que tengas ante cualquier cosa. Los extremos pueden vivir en tu cuerpo mental como ideas extremas y creencias fanáticas. En tu cuerpo emocional puedes sentir los extremos como elementos que desean luchar o gritar para ocupar tu posición acerca de algo. En tu cuerpo físico, los extremos se manifiestan en forma de enfermedad, sintiendo nervios en el estómago, ansiedad o ataques de pánico, insomnio y enfermedades relacionadas con el estrés. Toma nota de cualesquiera de esos síntomas que hay en tu vida y llega al fondo de la adicción emocional y del argumento que refuerza esos síntomas.

*   *   *

VER DOBLE

Una práctica diaria en curso

Como seres híbridos «espíritu-materia» que somos, debemos darnos cuenta de que no es apropiado que vivamos en dos mundos al mismo tiempo: el mundo del ego humano y el mundo del alma. No tienen que convertirse en un compuesto descafeinado indefinido. Cada uno de ellos manifiestan su propia forma de ser, que es una forma de vida muy rica y apetitosa: la respuesta apasionada del ego a la vida física vive junto al objetivo espiritual y a la intención vital del alma. De esta manera no se pierde nada. Estás aprendiendo el arte de «ver doble».

Sigues los designios de la vida ordinaria realizando tus rutinas diarias con las personas que viven en este mundo contigo. Nunca esquives las responsabilidades que tengas en este mundo. Algunas de ellas son deberes kármicos, como cuidar de los niños que has engendrado o que has adoptado, o ayudar a los ancianos que haya en tu vida familiar. Tienes que hacer en este mundo todas aquellas tareas que hayas asumido. Y lo haces con amor y compasión. Y ayudas a aliviar el sufrimiento allá donde vayas, a todas las personas que te encuentras en tu camino.

Además de todo esto, mantienes en tu interior ese «lugar secreto» que nadie, excepto quizás un guía espiritual, ni siquiera tiene que saber que existe en ti, a menos que tengas compañías con las que te sientas cómodo compartiendo tu vida espiritual: de visiones, sueños, imágenes simbólicas, guías y seres interiores, lugares en otras dimensiones a las que puedes acceder y mensajes de conocimiento directo; documentas tu vida en general en tu diario espiritual o cualquier otra forma de obra de arte o de expresión creativa. Y proteges este «lugar secreto» interior con todo tu poder espiritual rodeándolo de un profundo sentido de reverencia para tu alma.

Caminas en la superposición entre estos mundos, saliendo primero de uno y luego del otro. Algunas veces penetras sólo en uno o en otro para prestarle toda tu atención. Siempre nos encontramos en proceso de «inspirar y de espirar». Cuando te llega el momento de inspirar, la vida interior te llama más; cuando te encuentras en una etapa de espiración, tu vida exterior requerirá tu atención. Sabrás qué es lo adecuado y cuándo lo es. Tu ego y tu alma, cuando se alinean, hacen este trabajo de manera autónoma, sin que sea necesario contar con demasiado intelecto.

Si estás estudiando este principio y sientes una respuesta, estás siendo entrenado en esta nueva forma de ser. Así que debes preguntarte a ti mismo: «¿Te has vuelto demasiado mundano y "terrenal", quizás sintiendo que no es adecuado disfrutar de tu vida interior?» O, por el contrario, «¿te has encerrado tanto en tu vida interior que piensas que "no haya nada bueno en lo terrenal"»?

Esta nueva forma de ser siempre contendrá el don que procede de ambas caras de la ecuación, tanto con la respuesta humana apasionada como con la quietud de aquel «que todo lo sabe»; pruébalo. Ya verás lo que ocurre.

* * *

«LO CLARO, LO OSCURO, NO HAY DIFERENCIA»

Un mantra para vivir en equilibrio

Aprender a vivir dentro de la tensión entre los opuestos requiere la práctica de vivir más tranquilo con la actitud de «lo claro, lo oscuro, no hay diferencia». Si lo repites una y otra vez cada vez que te veas atrapado en algún tipo de polaridad, puedes llegar a convertirlo verdaderamente en un mantra. Practica el dejar simplemente que las cosas pasen, sin verte atrapado en los «asuntos» de los demás y sigue adelante con tu intención de cumplir tus objetivos y de alcanzar tus pretensiones más elevadas.

A medida que van pasando los días de este mes, debes advertir lo tenso que te vuelves cuando sientes que tienes que «afrontar polos opuestos» en cualquier situación conflictiva. Práctica el modo de ver ambas caras con ecuanimidad y con disposición de dejar que las cosas sean como tienen que ser. Ésta no es una postura pasiva, sino que se trata de ser muy exigente a la hora de elegir las batallas que tienes que librar. Si tienes la sensación de que es necesario librar una batalla, prueba a utilizar el «método aikido», limitándote a ponerte a un lado y a dejar que todo lo que te llega pase por delante de ti. No es necesario que te conviertas en el objeto que hay que golpear. De esta manera conseguirás mantener el equilibrio y sabrás qué «camino superior» debes tomar para salir de cualquier conflicto que aparezca.

El siguiente ejercicio de imaginación te permitirá trascender cualquier dualidad. Puedes repetirlo a lo largo del mes, cada vez que sientas que estás atrapado en algún tipo de unilateralidad.

* * *

DESCUBRIR ESA «TERCERA COSA MÁS ELEVADA»

Un ejercicio de imaginación guiada

Encuentra un lugar cómodo donde estar en reposo durante un instante, cierra los ojos y respira suavemente varias veces… Pondera alguna situación que esté pasando en este mismo momento de tu vida y que contenga un dilema que suponga una disyuntiva…

A continuación, en el ojo de la mente, imagina un triángulo, con los dos lados opuestos de esta situación situados a cada lado de su base… Visualiza cada uno de los opuestos como un símbolo que exprese su personalidad…

A continuación, observa lo que sucede a medida que cada uno de ellos asciende por los lados del triángulo en dirección hacia la punta… Advierte cómo se comportan a medida que se desplazan hacia la cima…

Y observa qué nuevo símbolo emerge de manera espontánea a medida que las dos caras se funden en el vértice del triángulo como «una tercera cosa más elevada»… Este símbolo en la cúspide del triángulo representa el punto trascendente. Esto expresa simbólicamente el modo en el que ascendemos a un nivel superior de consciencia y unimos la disyuntiva que existía abajo. Ahora tómate cierto tiempo a interpretar el símbolo…

Reflexiona sobre este símbolo que se encuentra en la cima y observa qué sentimiento o conocimientos emergen concernientes a esta nueva situación… Cuando te sientas preparado, tómate cierto tiempo para regresar y anota o dibuja lo que hayas recibido.

Una vez que hayas hecho esto, aplica este mensaje interior a la situación actual e integra esta realidad interior y exterior.

13

EL OCTAVO PRINCIPIO PERSONAL

«No nos sanamos y nos transformamos fuera de nosotros, sino a través de nosotros»

No dejes que suplique por la quietud del dolor,
sino por el corazón que consiga conquistarlo.

RABINDRANATH TAGORE

NO PUEDES HABLAR CONTIGO MISMO SIN SENTIMIENTOS

Es una ilusión pensar que puedes llegar a hablar contigo mismo sin tener sentimientos negativos o que existe algún instrumento mental o una simple afirmación que te permita alimentar tu cerebro y que automáticamente cambie tus respuestas emocionales. Estas herramientas mentales pueden cambiar tu mente, pero tus emociones funcionan a través de la ley de la termodinámica: fluyen, susurran o rugen como el agua y hay que acceder a ellas y eliminarlas para alcanzar la sanación personal. Por tanto, a menos que estés dispuesto a someterte a una lobotomía, es mejor no depender de tu mente para cambiar tus emociones. Cuando tratamos de hablar con nosotros mismos sin sentimientos, sólo conseguimos reprimirlos y hacer que se expresen de manera indirecta cuando menos queremos que lo hagan. La represión es el teatro de la sombra.

Una vez que las emociones se aclaran, la mente funciona maravillosamente para ayudar a nuestra vida con nuevas ideas, creencias saludables y un ajuste de nuestra actitud que encaje con nuestra nueva claridad. Pero casi nunca funciona de la otra manera: la desviación espiritual muchas veces es el resultado de tratar de controlar nuestros sentimientos sin haberlos analizado en profundidad con compasión y entendimiento.

Como tu cuerpo emocional funciona como el agua, cada vez que las emociones aparecen en nuestro cuerpo nos remueven dulcemente o irrumpen como una tormenta agitada en el mar cuando los sentimientos se desbordan. Si se bloquean, se almacenan en tus células, cerrando tu corazón y dándote la idea de que no es seguro o «espiritual» tener sentimientos negativos como la ira o el profundo dolor.

Tal y como aparecía en la revista *Newsweek,* en su edición dedicada a «La nueva ciencia de la mente y el cuerpo» (septiembre de 2004): «Desde la ira al optimismo, nuestras emociones son estados psicológicos. El cerebro, como fuente de todos los estados, ofrece una posible puerta a otros tejidos y órganos: al corazón y a los vasos sanguíneos, a los intestinos e incluso al sistema inmunológico». Así pues, podemos ver lo crucial que es para nuestro bienestar sanar nuestro cuerpo emocional.

Un lago que no tiene ondas reflejará perfectamente el cielo (o la verdad). Tu cuerpo emocional, para sanarse, debe utilizar una serie de técnicas que vacíen a nuestros sentimientos con compasión y sin realizar ningún tipo de juicio. Una vez hecho eso, tu cuerpo emocional será transparente para poder satisfacer cada momento presente con la claridad prístina de la verdad de cada situación y de cada relación con la que te encuentres, sin estar nunca más contaminado por los viejos sentimientos que permanecen sin procesar.

No es posible elevarse y salir de una emoción que nunca te hayas permitido sentir. Una vez que un sentimiento haya penetrado en tu cuerpo, o que haya golpeado tu psique de alguna manera, no se limitará a desaparecer, sino que tienes que ser consciente de él y expresarlo para poder eliminarlo. Para que la sanación emocional prevalezca, debemos encontrar un lugar seguro y apropiado para entrar plenamente en todo aquello que permanezca sin procesar y tenemos que atravesarlo completamente hasta que la energía reprimida se elimine del problema. Una vez hecho esto, ya se ha acabado, nunca más atraerá tu atención o tu energía psíquica.

LA NATURALEZA Y EL OBJETIVO DE LA RESISTENCIA

A los seres humanos se nos da muy bien resistir el dolor. Sin embargo, cuando la resistencia se entiende correctamente, podemos aprender a respetarla como el principio de un cambio. Cuando tenemos algo que se ha reprimido en nuestra mente subconsciente intenta franquear los muros del conocimiento consciente, tratando de ser visto y de sentirse en toda su plenitud para así poder sanarse. Al principio es posible que sintamos un miedo natural y tratemos de reprimirlo de nuevo. Después de todo, el miedo que padecemos como consecuencia de este sentimiento se debe a que se ha reprimido desde un primer momento. Así que nos resistimos, sin saber qué es lo que sucederá si vuelve hacia atrás su desagradable cabeza.

La resistencia, siendo como es un don, o bien procede de tu mente superconsconsciente —de tu mente superior—, o bien de tu mente subconsciente, del material reprimido de tu mente. Si tu resistencia a llevar a cabo el trabajo interior de la aclaración emocional procede de tu mente superior, eso puede significar que no estás preparado para trabajar a través de este problema en particular que hay en tu vida. O quizás las condiciones no son lo suficientemente seguras como para que puedas proceder. Una vez más, la resistencia puede ser un temor a lo que podría suceder una vez que aclares este problema; podría ser que tuvieras que hacer algunos cambios en tu vida que no estás preparado a realizar. En esos casos, tu Yo está evitando que te muevas con demasiada rapidez, esperando a que se produzcan algunos cambios favorables en tu mundo exterior antes de que profundices en el procesamiento de tus emociones desatadas. A continuación, si la resistencia procede de una postura de un ego herido, manteniéndote apartado de algo que no deseas afrontar, o temiendo que puedas perder el control, entonces la resistencia puede proceder de una subpersonalidad que está bloqueando tu desarrollo.

Puedes descubrir el origen de tu resistencia mirando en tu interior e imaginando un símbolo para la resistencia. Si se trata de un guía o de una figura de Cristo vestido con una túnica blanca, un Ser que sujeta una lámpara, una rosa, una cruz resplandeciente o una serpiente que circunda a un pentagrama —algo que represente lo sagrado o lo elevado—, entonces está procediendo de tu Yo. Por tanto, debes aceptar la resistencia y rogar para que tus sentimientos se amainen. Si la imagen que procede es oscura, gruesa —como una puerta que no se abrirá, o un agujero de barro, o un cartel que diga «Peligro, no entrar», su energía es agotadora o pesada, no vivificante o ligera—, entonces es tu ego, que trata de decirte que dejes de realizar tu trabajo interior. Es posible que desees anular esta resistencia y encontrar un lugar seguro donde sumergirte profundamente a los sentimientos de temor, ira o pena que puedas estar albergando, y dejar que se expresen para poder «desangrarse».

LOS CORAZONES PESADOS DESEAN VACIARSE

El corazón se vuelve pesado cuando tiene que albergar mucho dolor o pena sin procesar o una inesperada ira, temor o frustración. Cuando tu corazón es pesado te oprime, tu respiración se vuelve superficial y tu vida es plana; estás viviendo en un nivel superficial que nunca resulta satisfactorio. Tu fuerza vital se reduce al mantenerte apartado de tus sentimientos. Tu corazón sólo desea vaciarse. Como si escurriera un paño de cocina que está empapado de agua sucia, tu corazón sólo desea que lo aprietes para poder aligerarse y ayudarte a sentir más vivo.

Tu corazón no está juzgando lo que hay ahí; sólo quiere liberarse. Así pues, sin interferir, o sin hacer comentarios al respecto, o sin manipularlo de ninguna manera, sólo deja que tenga lugar el proceso. En la privacidad de tu propio espacio, deja que tus sentimientos salgan a la superficie. Si te sientes terriblemente bloqueado, la música muchas veces puede ayudarte.

Tu psique sabe cómo liberar el dolor emocional si permites que haga su trabajo. Y advertirás que, cuando dejas que los sentimientos fluyan hacia fuera, al mismo tiempo estás observando la corriente de acontecimientos que tu corazón está liberando. Una vez que eres capaz de reconocer que eres el único que está percibiendo este proceso, te darás cuenta de que *tienes* sentimientos y de que *no* eres tus sentimientos. Tus emociones simplemente son punteros de las experiencias no finalizadas de tu vida que viven en ti. Cuando se vacían, verás que los acontecimientos que pueden haberte herido se han disipado, que ya los has vivido. Lo único que queda son los recuerdos que habitan en tus células, en tu mente y en tu corazón. Simplemente es energía reprimida que se encuentra atascada en tu cuerpo-mente.

Cuando realices una sanación emocional de esta manera, descubrirás el modo de experimentar la cruda realidad sin el barniz mental o emocional que has utilizado para cubrirlo. Una vez que estas emociones bloqueadas de dolor se liberan, te sorprenderá ver lo ligero que te sientes. Sentirás perdón hacia ti mismo o hacia las demás personas que te hayan hecho daño; te sentirás tranquilo y centrado. Procederás de tu corazón, del cuarto nivel de consciencia donde todo comienza a armonizar. Y sentirás la dicha de estar completamente implicado en la vida.

Jesús dijo: «Porque cual es el pensamiento del hombre en su corazón, tal es él». Cuando era niña, siempre solía pensar que ése era un error tipográfico de la Biblia: ¿Cómo podemos pensar con nuestro corazón? En este cuarto nivel de consciencia, la mente y el corazón se unen; piensas con la inteligencia no enjuiciadora, que todo lo abarca y es receptiva de tu corazón compasivo.

LOS SENTIMIENTOS NEGATIVOS LIBERADOS SE CONVIERTEN EN SUS OPUESTOS

Cuanto más podamos sentir algo en toda su plenitud, más rápidamente se liberará y se dirigirá hacia su opuesto oculto. Por ejemplo, cuanto más me he permitido sentir mi ira acerca de algo, con mayor rapidez se puede verter la compasión o el perdón. La nueva vida entra en un espacio vacío donde las energías viejas y constreñidas se han disipado y donde se ha producido una sanación.

Las terapias tradicionales muchas veces entran en juego y detienen los sentimientos, o incluso nos medican, para que no sintamos demasiadas cosas. Aunque hay algunos ejemplos en los que la medicación resulta muy útil, es triste ver a tantas personas que van por el mundo con cuerpos emocionales turbios. Los terapeutas del nuevo paradigma no tienen miedo a los sentimientos y saben que simplemente éstos están pidiendo a gritos que se accedan a ellos, se posean, se sientan en su totalidad y se liberen. Aprendemos a crear los contenedores adecuados para que nosotros, aquellos a los que servimos, tengamos un lugar seguro donde expresar nuestros sentimientos apropiadamente. Sólo tenemos miedo a las emociones reprimidas «cargadas», no a los sentimientos naturales. Cuando los sentimientos naturales tienen permiso para expresarse, nunca hay ninguna represión. En consecuencia, nunca hay ningún emocionalismo de necesidades extremas al que dar rienda suelta. Y teniendo en cuenta lo que ahora sabemos de la sombra, cuanto más reprimamos nuestros sentimientos no deseados, más saldrán a la luz en su forma más extrema e inadecuada.

EL DOLOR EMOCIONAL ES ALGO INHERENTE EN ESTA VIDA

Ser humano no es para corazones débiles. Como vivimos en una realidad densa y concreta, esta vida física puede herirnos gravemente cuando un cuerpo al que amamos muere o cuando nos golpeamos con un muro, o recibimos una bala, o nos rompemos el cuello o perdemos la capacidad de la vista. Vivimos en dos mundos al mismo tiempo: en esta realidad física donde se lleva a cabo toda existencia espiritual, y en la realidad arquetípica/espiritual donde estamos conectados universalmente a todos los seres que pertenecen a nuestra especie y a toda la vida.

Existe un hermoso poema persa, escrito por Zuleka, que explica esta realidad paradójica con total claridad:

«Rabia, Rabia, ¿por qué estás llorando?»
«Estoy muy triste», dijo ella.
«Rabia, Rabia, ¿por qué estás triste?»
«Estoy comiendo el pan de este mundo,
Mientras realizo la tarea de ese mundo».

Esto me lleva a pensar en Jesús, en Buda y en otros grandes seres que han venido a este mundo sabiendo perfectamente que tienen un objetivo aquí que simplemente se debe llevar a cabo para espiritualizar esta existencia humana. Cuando somos capaces de acceder a la importancia arquetípica de que arrastramos con nosotros cierto dolor, eso ayuda a curar un corazón herido, a no sentirte solo, en compañía de los demás seres que hayan experimentado el mismo dolor.

En mi propia vida, una vez estaba sufriendo enormemente durante una sesión de terapia de viaje musical por la enfermedad de diabetes que padecía mi primer hijo, que le hacía llevar una vida difícil. Sentía lástima de mí misma por ser la madre de un niño enfermo. «¿Por qué él, por qué yo?» Seguí lamentándome mientras me apretaba el estómago y lloraba por mi pena. Entonces, de repente, desde el interior, me di cuenta de que mi consciencia había abandonado mi cuerpo y estaba planeando por todo el planeta Tierra, viendo a todas las madres del mundo que tenían hijos enfermos o que habían perdido a un hijo. Fue un momento de bendición, difícil de describir. Sentí un suspiro de alivio y un indicio de iluminación. Estaba unida a todas las madres del mundo. «¡Esto también es otra experiencia humana! No soy la única», grité. Mi mundo personal y el mundo arquetípico/simbólico de significado se habían fundido durante unos instantes y me proporcionó este momento de sanación. Y me sentí dichosa.

Una vez un maestro me dijo que cuando podemos alcanzar la importancia arquetípica de alguna situación grave personal, se desatan todos los nudos del hilo que forman ese problema en particular y todo se resuelve y nunca más vuelve a aparecer. Se ha acabado.

MANTENER LA TENSIÓN DIVINA ES LIBERTAD EMOCIONAL

Volverse consciente *es*, en cierta medida, una forma de sufrimiento. Con los ojos abiertos de par en par, y conectados a todos los seres humanos, observamos el dolor que existe en todo el mundo. Podemos llegar a sentir no sólo nuestro dolor personal, sino también el dolor universal colectivo. Sin embargo, el sufrimiento no es el objetivo; el objetivo es profundizar en la vida.

La psique humana nos proporciona, a través del síntoma o del símbolo, toda la realidad que podamos manejar en cualquier momento. Asumimos aquello que somos capaces de manejar; el resto, lo bloqueamos. Nuestros egos o bien se entregan a este trabajo elevado y sagrado, o bien ofrecen resistencia y nos producen una grave tensión emocional. Todo sufrimiento humano es la incapacidad del alma para expresar su verdadera naturaleza —que es amor divino, compasión e inteligencia creativa— en este denso mundo físico. El placer y el dolor son una sola cosa en la dicha. La actividad del corazón es no negar ninguno de los dos. Esta «tensión divina» que somos capaces de sentir —placer/dolor, personal/universal— nos mantiene en contacto con toda nuestra naturaleza, nuestras alegrías y tristezas personales, y con nuestro amor por la humanidad al mismo tiempo. Los dos se convierten en una tercera cosa superior: sin buscar obsesivamente la alegría y sin revolcarnos en el dolor. A esto se le conoce como libertad emocional.

LA LECCIÓN DE LA VIDA

Despojarse del miedo a los sentimientos

A medida que pasas los días concentrándote en este Principio de Plenitud, debes ser en todo momento consciente de los sentimientos que pasan a través de tu cuerpo. Observa hasta qué punto puedes manejar estar plenamente presente en cada momento para tu naturaleza sentimental. La lección que debes aprender aquí es a darte cuenta de que tus emociones son una parte natural de la vida. Y las reacciones emocionales desproporcionadas simplemente te recuerdan las experiencias de la vida no finalizadas que tratan de completarse. Si albergas el deseo de llegar a pensar con total claridad, es necesario que seas consciente de todas las emociones que hayas almacenado y que te liberes de ellas. En este momento te encuentras en una etapa de tu viaje en la que aprendes a no temer jamás a tu naturaleza emocional o a tus pasiones, independientemente del tipo de intensidad de la que puedas creer que te estás apartando.

Cuando mis emociones se encuentran atascadas en mi garganta, sé que se trata de un bloqueo del quinto chakra. Mis sentimientos se encuentran justo al borde de la verdadera expresión personal. Así que he aprendido a permitirme a mí misma emitir un sonido; *cualquier* sonido que desee salir. Sé que necesito privacidad, y muchas veces la encuentro subiendo a mi coche y conduciendo por una carretera rural con la música a todo volumen. Después, dejo escapar el gemido o la ira, o algunas veces me sorprende por la aparición de un cántico sagrado o por una canción que sale de mi interior de manera espontánea. La clave está en saber expresarte desde tu chakra garganta. Los sentimientos se colocan justo ahí, en la superficie de tu conocimiento consciente. Cuando se aclara, tu garganta puede que sólo quiera cantar y gritar. O puede que de tus ojos broten lágrimas de alegría.

Si la emoción reprimida se encuentra en tu corazón, sientes pesadez por algo y puede que ni siquiera sepas el contenido; sólo sientes que tienes mucha energía atrapada en tu pecho. Puede que hayas experimentado lo que se siente al no ser amado por alguien a quien quieres o puede que no hayas amado a alguien a quien aprecias y sientas que tienes una tarea pendiente, que te sientas culpable o que tienes un espíritu mezquino. En cualquier caso —puesto que nuestra naturaleza es amar—, el corazón sólo desea vaciarse y volver a sentirse natural. Cuando se aclare, tu capacidad pectoral se sentirá ligera y amplia, o te invadirá una sensación de amor intenso, gratitud o asombro.

Algunas veces sentirás tus emociones principalmente en tu plexo solar o en la boca del estómago. Si es así, tu ego se ha sentido herido; se ha sentido avergonzado, abandonado o humillado por algo que haya sucedido. O se acuerda de alguna vieja herida de la infancia que nunca ha tenido oportunidad de curarse. Y este mismo sentimiento familiar ha salido a la superficie para que ahora puedas ser consciente de ello. En otras palabras, ha sucedido algo que está «cargado» de viejos sentimientos de abandono, de vergüenza o de la sensación de no ser lo suficientemente bueno. Esto hace que el agravio actual sea mucho más potente de lo que es, haciendo que tengas una reacción desproporcionada. Tu respuesta emocional a este tipo de agravios puede haberse convertido en una adicción emocional. Por tanto, debes dejar que tu ego te hable y tienes que escucharlo. Entonces, encuentra una manera de consolarlo. Tendrás que practicar la manera de liberarte de este viejo sentimiento, de tal modo que su opuesto pueda salir a la luz.

Algunas veces el sentimiento se liberará y no habrá ningún contenido. Eso está bien. No siempre tenemos que saber por qué nos hemos enfadado. Los argumentos no son tan importantes como la liberación de ese sentimiento de tu cuerpo y de tu corazón. Las historias que nos contamos a nosotros mismos pueden, verdaderamente, ser también muy adictivas.

Si eres una persona que ha utilizado el sexo como una manera de sentirte querida o atractiva, puede que te hayas vuelto adicta a un sentimiento de excitación sexual cuando tu ego se siente herido. Si ése es el caso, debes permanecer perfectamente consciente y utilizar tu Yo Observador para que te impida dar rienda suelta a conductas que violen tu Yo. Este tipo de sensaciones sexuales no son claramente sexuales. Son una necesidad que emana de una sensación de que nunca eres lo suficientemente bueno. Tener sexo con una pareja a la que amas es una experiencia hermosa y sanadora. Pero todos sabemos que el comportamiento sexual irresponsable hace que nos sintamos fatal y muchas veces crea en nosotros un conflicto kármico con otra alma.

Tu Yo te está pidiendo que trates de recordar que *no* eres tus sentimientos. Los sentimientos que se agitan en tu interior simplemente son los punteros o los recordatorios de que estás «cocinando» algo; algo que todavía no está finalizado en tu proceso de despertar que requiere una liberación emocional. Estás arrastrando una carga que está haciendo que te sientas necesitado y hará que aparezcan algunas distorsiones en tus relaciones hasta que estos sentimientos se vacíen. Si estás sintiendo esos síntomas en cualquiera de estas tres partes de tu cuerpo —en tu garganta, en tu corazón o en tu plexo solar—, tus emociones te están haciendo saber que ha llegado el momento de que te liberes.

Sea lo que sea lo que creas que albergas en tu interior, en lugar de tratar de hablarte a ti mismo como si estuviera fuera de ti o de pensar que necesitas esconderlo, prueba a dar a ese sentimiento una *intención plena* de liberarlo. Me gusta ajustar mi reloj durante diez minutos y dejarme penetrar profundamente en el sentimiento lo máximo que pueda. Me digo a mí misma: «Repásalo en su totalidad, de punta a cabo». De ese modo se puede vaciar completamente. Por esta razón he aprendido que los peores sentimientos que hay en este mundo sólo se liberarán intensamente durante cinco o siete minutos como máximo.

Apartarte de los sentimientos es mucho más peligroso que dejar que fluyan libremente. Tal y como nos dice la medicina de la mente/cuerpo, no liberar nuestros contratiempos emocionales puede incluso producir una enfermedad física. Se pueden encontrar contenedores seguros en nuestras comunidades terapéuticas para que te ayuden a limpiar los residuos que se encuentran almacenados en tu cuerpo emocional.

El ejercicio que se describe abajo te ayudará a liberar cualquier sentimiento oculto que puedas estar albergando para hacer que sea consciente y que se pueda sanar. Puedes utilizar tu «librito» para registrar cualquier cosa que aprendas de esta expresión con el fin de adquirir más entendimiento personal.

LA PRÁCTICA

Concentrarse en un sentimiento

Un ejercicio de imaginación guiada

Puedes grabar este ejercicio de imaginación y reproducirlo o puedes hacer que un amigo te lo lea de forma lenta y relajada, asegurándote de que haces una pausa lo suficientemente larga como para experimentar las sugerencias que aparecen en el ejercicio de imaginación.

Encuentra un lugar donde estés solo durante un tiempo o con un amigo muy íntimo o de toda confianza. Pon música suave y sentida que no contenga letra, túmbate en una posición cómoda y cierra los ojos.

Comienza a respirar, inhalando y exhalando mientras cuentas hasta siete, equilibrando tu respiración, y sigue realizando este ejercicio hasta que sientas los efectos de esta respiración suave y equilibrada...

A continuación, lleva tu consciencia a la parte de tu cuerpo en la que se sienta el bloqueo y entra en él con toda tu atención, con la plena intención de liberarlo... Limítate a permitirte el lujo de permanecer allí, concentrado, hasta que el sentimiento empiece a salir a la luz... Respira directamente la sensación durante un instante...

Ahora deja que cualquier palabra o sonido salga, ya que desea ser expresado, y no te preocupes si no tienen sentido; sólo deja que salgan, sea lo que sea... Permanece con el sentimiento... Dale plena intención... Siéntelo plenamente hasta lo más profundo de tu corazón..., profundiza..., profundiza..., hasta que alcances el fondo... El sentimiento puede convertirse en otra cosa... Sólo date cuenta de la forma que adopta...

Una vez que sientas que se ha vaciado, realiza varias respiraciones rápidas, como si estuvieras respirando aire fresco, y sigue realizando este proceso durante algunos momentos hasta que te sientas completamente vacío y claro...

A continuación, apaga la música y, con los ojos cerrados, permanece en silencio durante unos minutos... Limítate a experimentar el modo en el que ahora te sientes hasta que estés preparado para levantarte... Tómate tu tiempo...

Cuando sientas que estás preparado, regresa aquí y reflexiona sobre lo que acaba de ocurrir. Puede que quieras escribir en tu «librito» o dibujar algo que exprese lo que acaba de suceder. O si alguien se encuentra presente a tu lado, puede que desees procesarlo con él, o más adelante con tu terapeuta.

* * *

PERMANECER «ENGANCHADO» Y «DESENGANCHADO»

Una práctica cotidiana en curso

Cada vez que estés disipando tus bloqueos emocionales, será un buen momento para volverte verdaderamente consciente de qué tipo de personas o de situaciones causan que estés emocionalmente enganchado o que provoquen tu desapego, tu cierre o tu retirada. Algunos procesos te afectan en gran medida, mientras que otros simplemente parecen fluir.

Por tanto, en este proceso de exploración personal, plantéate estas cuestiones:

- ¿Qué se ha activado para que sienta una reacción emocional? ¿Qué historia o imagen se encuentra justo en este momento en mi mente?
- ¿Es un sentimiento que me resulta familiar? Si es así, ¿durante cuánto tiempo llevo con él?
- ¿Cuál es el denominador común que siempre aparece en situaciones como ésta?
- ¿Qué hay en mí que hace que esta experiencia forme parte de mi realidad?
- ¿Cuál es su objetivo final? ¿Qué estoy tratando de aprender?

Practica a diario durante este mes el ejercicio de pasar los días advirtiendo todo esto. Utiliza tu «librito» para anotar cualquier proceso que contenga energía emocional; cualquier «exceso», ya sea

por arriba o por abajo. Los apegos emocionales demasiado elevados son tan desequilibrados como sentirte demasiado deprimido o
vacío. No olvides que todas las adicciones se manifiestan en su grado extremo.

Por tanto, deja que este mes sea una meditación en movimiento
y que sirva para aprender el modo en el que experimentas tus emociones y para encontrar la manera de sanarlas.

*Una nota acerca del uso del Yo Observador en la sanación emo-
cional.* Algunas veces te notarás «estático» en la comunicación entre
tú y tu Yo Observador. Otra voz en tu cabeza estará interfiriendo
—una voz que es extraordinariamente crítica— avergonzándote por
causa de algún error que hayas podido cometer. Ése *no* es el Yo Observador; es una subpersonalidad llamada el Crítico Interior. Todavía te encuentras dominado por tu ego herido. Así que debes ascender y observar también esta voz crítica. ¿Quién está hablando?
¿Cuánto tiempo llevo escuchando a esta entidad crítica preocupán-
dome? ¿De dónde procede? Trata de descubrir por qué esta voz se
encuentra ahora mismo en tu cabeza. ¿Está cumpliendo alguna función? ¿O simplemente te está hiriendo de nuevo? (Sin lugar a dudas
descubrirás que es un ser que ha estado contigo desde que eras un
niño.)

* * *

PERDONAR Y LIBERAR VERDADERAMENTE A LOS DEMÁS

Mantener tu ira hacia alguien que te haya hecho daño consume
gran cantidad de energía física. Tienes que cerrar algunas partes positivas de tu ser para permanecer concentrado en estos viejos resen-
timientos. Lo mejor, por tu propio bien, es liberarlos.

«Pero —dirás— esta persona ha abusado enormemente de mí. No se merece que le perdone. Fue un monstruo que nos ha hecho mucho daño.» Esta forma de pensar pone de manifiesto un error: perdonar a las personas no las libera de su propio karma. Es un asunto entre ellas y su Creador. Prohibir es una cuestión de liberar tu propia energía o de liberarte para poder experimentar cosas más importantes. Tu perdón es bueno para ti.

Una vez que empiezas a vivir como tu verdadero Yo, todo el mundo se ve tal y como es, y se aprecia por el papel que ha desempeñado en este drama mundial divino en el que todos nosotros estamos participando —los errores y todo lo demás—. Algunas veces observamos que nuestros peores enemigos u ofendedores son nuestros mejores maestros.

Utiliza este mes para practicar el perdón a alguien de tu pasado: observa a los demás en tu mente tal y como verdaderamente son... Limítate a permitir que su imagen aparezca en tu imaginación y obsérvalos con total claridad...

A continuación, en silencio, dirígete a ellos: «Te estoy liberando de tener, de ahora en adelante, cualquier efecto en mi vida o en mi corazón»... Advierte cómo te sientes cuando dices esto... Y observa la imagen o la escena que aparece en tu mente mientras pronuncias esas palabras...

Sigue repitiendo esta declaración una y otra vez hasta que sientas una verdadera liberación energética.

* * *

ENCONTRAR TU PROPIO APOYO EMOCIONAL

Si eres como yo, saltando y botando a través de un cambio constante, probablemente podrías utilizar un poco de compañía que te sirva de apoyo en todo el proceso. Tu propio entendimiento personal proporciona un cojín, y tengo la esperanza de que este libro también lo sea. Sin embargo, la compañía de otras personas que piensen como tú, que tengan las mismas intenciones que tú y que estén realizando este viaje contigo es un componente importante de tu sanación emocional. Por lo que se refiere aquí, en el carril de la derecha, tu mundo se enrarece. Casi todo el mundo que está «ahí fuera» se encuentra atascado a lo largo del camino, en el mundo de enfoque exterior del ego, y este viaje se puede llevar a cabo en solitario. Es importante permanecer cerca de aquellas personas que te están despertando.

Una vez que te comprometas con este modo de vivir, te encuentras con una sorpresa emocionante: tu verdadero ser afín empezará a dejarse ver en todo lo que te rodea. Cuando te encuentras con alguien con quien tienes una profunda conexión a nivel del alma, sentirás un reconocimiento instantáneo. Compartirás un conocimiento sereno que te hará sentir que verdaderamente os entendéis; un amor profundo, permanente y no apegado. A través de estas profundas conexiones, tu vida emocional se volverá capacitada con espíritu.

14

EL NOVENO PRINCIPIO PERSONAL

«No hay expertos externos en un camino de conocimiento personal»

Afirmo que se entregarán estos poderes,
pero para ser exactos, tú te los darás a ti mismo,
ya que incluso ahora los posees aunque tú
no lo sepas; no se puede añadir nada
desde fuera, ya que todo procede del interior.

WILL GARVER

EL YO ES EL ÚNICO EXPERTO EN *TI*

En un camino de conocimiento personal no puede haber expertos externos. Tu Yo es la única autoridad verdadera por lo que respecta a tu propia naturaleza. Ahora bien, ¿no es lógico cuando lo piensas? Todas las búsquedas que hagamos afuera de nosotros lo único que conseguirán es hacer que volvamos a nuestro punto de partida —dentro de nuestra propia mente y de nuestro corazón—. No hay ningún lugar donde ir; simplemente hay un ente que debemos ser. La psicóloga Aniela Jaffe, en *The Myth of Meaning*, afirma: «Dios crea el Yo y luego se realiza a Sí mismo a través del encuentro con Su propia creación». Así pues, afirmar que el Yo es nuestro maestro es un proceso sagrado, que procede directamente de nuestro Creador.

Cuanto más allá vayamos en nuestro despertar, más nos daremos cuenta de que el viaje en sí es nuestro hogar. Y cuando lo recorremos, el Yo nos enseña el único camino que existe: a través de la sabiduría adquirida de nuestras experiencias directas. No es a través de los libros de texto, ni a través de escuchar a los demás, sino yendo a nuestro interior y encontrando los tesoros que están enterrados en tu propia psique: así es como adquieres el conocimiento personal. Todas esas formas exteriores de aprender pueden servir para convalidar todo lo que descubras. Y es emocionante escuchar cosas que hayas experimentado y que sabes que son ciertas.

El Yo humano/divino está diseñado para volver a tejer los hilos que vinculan el pensamiento humano con el alma y el espíritu —que es lo que estamos haciendo ahora mismo mientras lees este libro—. Tu verdadero Yo, como tu proyecto sagrado, te recuerda que estás aquí para vivir creativamente desde el centro, guiado por tu propia sabiduría del alma innata y tu propio sentido del Yo —en lugar de estar impulsado por los dictados y las expectativas de los demás—. Convertirte en tu propio «experto» interior te lleva en la dirección adecuada que te permitirá saber quién eres verdaderamente. Todo lo demás son rumores, o las ideas de otra persona acerca de quién deberías ser. Incluso lo que estás leyendo en este libro tiene que filtrarse a través de tu propio «detector de verdades» interior. Si lo que se dice suena cierto, por todos los medios, acéptalo; si no es así, déjalo que pase.

Seguir el camino de la experiencia directa es una aventura fascinante en consciencia que elimina la necesidad de que haya expertos externos. Viajar a través de tu paisaje interior excita tu corazón y preocupa mucho a tu mente; te olvidas de estar siempre buscando respuestas donde sea, «ahí fuera». Mientas escarbas en la naturaleza de tu verdadero Yo, estás contemplando y experimentando el significado más profundo de todos tus sentimientos, actitudes y creencias, además del sagrado objetivo de tus relaciones y de los acontecimientos que llevas a cabo mientras avanzas en tu viaje.

El camino del conocimiento personal conduce a este «mundo de significado», donde se observa un entendimiento más amplio y exhaustivo de la vida. Partiendo de tu trabajo interior, habrá una serie de aperturas espontáneas dentro de tu corazón o de tu mente en un nivel de realidad que va más allá de lo externo, y te bañarás en la luz del *significado*. Desde este mundo interior que reside más cerca de nuestra fuente obtenemos una perspectiva a vista de pájaro, en lugar de la visión miope que tenemos cuando nos encontramos en mitad de nuestra propia imagen. El significado tiene una naturaleza curativa, ya que nos da una sensación de plenitud y de intención. Descubrir el significado y el propósito espiritual de nuestras experiencias es el despertar; ése es el tipo de transformación que todos buscamos.

Sin un sentido de significado en tu vida, tu realidad ordinaria se despliega a lo largo de una línea torcida e impredecible de acontecimientos casuales. No puedes ver cómo todo está conectado. Desde el mundo simbólico del significado, todas tus condiciones que aparentemente no están relacionadas entre sí y todos los sentimientos interiores que las acompañan se agrupan en *racimos significativos* y sacan a la luz su objetivo sagrado. Expandirse dentro del simbólico mundo del significado es un movimiento de vuelta a tu fuente, donde todos los patrones de plenitud, incluyendo el de tu propio Yo verdadero, se revelan con toda su crudeza. A través de la meditación o de los momentos de profunda contemplación puedes acudir allí cada vez que necesites gozar de mayor entendimiento acerca de algo que esté sucediéndote. En este plano más amplio de consciencia, tu Yo realizado se encuentra al mismo tiempo «en el mundo y fuera de él». Conoce tanto los entresijos de este mundo como los del mundo del Espíritu.

CONVERTIR TU VIDA EN UN RITUAL SAGRADO

El mundo que te rodea está vivo y lleno de marcadores sincrónicos, metáforas, potentes símbolos e importantes lecciones, y todos ellos pueden enseñarte algo acerca de la plenitud de la persona que eres y ayudarte a despertar en tu viaje sagrado. Tu alma habla a través de símbolos, ¿recuerdas? Las metáforas, las parábolas, las imágenes, los patrones geométricos, los números, el color, los sonidos, las señales y la sincronicidad son el lenguaje de tu Yo interior.

Puedes avanzar a través de tu vida cotidiana como si se tratara de un ritual sagrado, demostrando gratitud hacia los símbolos que recibes, reconociéndolos como mensajeros que proceden de la dimensión del alma. Actúan como si fueran «enzimas» que llenan tu psique de significados más profundos de los que puedas llegar a conocer si utilizaras únicamente tu intelecto. Aprendes a tener los ojos para ver y las orejas para escuchar a medida que se va desplegando toda tu realidad.

Tu alma encarnada te dirige de una manera misteriosa que muchas veces desconcierta al intelecto —a través de destellos de conocimiento, escenas e imágenes que irrumpen en tu consciencia— y que está plagada de significado. Un pedazo de papel bailando por efecto del viento se convierte en un símbolo trascendente de belleza que te aleja de cualquier desesperación que puedas sentir. La esencia del aire estimula un recuerdo que llena un vacío que haya en tu actual entendimiento. Lees algo acerca de alguien cuya vida es sorprendentemente paralela a la tuya y, de repente, recuerdas un pedazo olvidado de tu propia historia. Un búho se posa en tu ventana y mira hacia ti justo en el preciso momento en el que necesitas que te recuerden tu propia capacidad para remontar el vuelo.

«¿Por qué ha sucedido esto precisamente ahora? —te preguntas—. Ésta es un profunda metáfora que me está mostrando el camino.» Todo lo que aparece en tu vida exterior es un reflejo de algo que sucede en tu mundo interior. Una vez que comprendas cómo funciona este perfecto reflejo, cualquier cosa que aparezca en tu camino puede dar a tu Yo que está despertando un importante empujón. Verás que es la vida interior la que determina tus condiciones externas y no al revés. A medida que despiertas a todos los caminos que tu verdadero Yo está desvelando, empiezas a ver lo extraordinario en lo ordinario allá donde mires.

Como tu personalidad ya está asociada al Yo superior que se encuentra en el corazón de todas las cosas, tienes la capacidad innata de ver el mundo desde esta perspectiva trascendente. El Yo arquetípico de la humanidad vive en el «mundo del significado», que es una realidad que se encuentra más próxima a nuestra Fuente de lo que nuestro intelecto normalmente es capaz de alcanzar. Por tanto, el Yo puede comunicarse con esta forma superior de conocimiento leyendo los símbolos, las metáforas y los signos, y formando tu personalidad, para buscar la profunda raíz espiritual de cada una de las situaciones de la vida que te alcanzan a ti y a todo lo que haces.

ENGENDRAR NUEVO CONOCIMIENTO PERSONAL

Ahora no tengas miedo si sientes que no tienes experiencia trabajando con imágenes o interpretando símbolos. El estudio de este libro puede ser suficiente para guiarte. He descubierto que casi nunca se necesita a un profesional o a un diccionario de símbolos para que te ayuden a comprender tus imágenes interiores cuando éstas aparecen. Los diccionarios de los sueños y los símbolos que proporcionan interpretaciones universales de los símbolos, o cualquier otra fuente de instrucción formal, pueden incluso encontrarse en el camino de un entendimiento nuevo de tu singular vida interior y de tu modo de conocimiento. Trabajar con símbolos permite engendrar un conocimiento personal. La experiencia que supone relacionarse con estos símbolos es, en sí misma, tu maestro. Dedica sólo unos minutos a estar con ellos, penetra en ellos y conviértete en ellos, y así te enseñarán qué es lo que representan. Estos símbolos son verdaderas entidades psíquicas que proceden de tu vida interior. Basta con que te comprometas a comunicarte en el «mundo de significado» —tanto a través de la escritura de un diario como de la meditación, de la terapia en grupo o individual, del viaje del alma a través de la música o de la interpretación de los sueños— para que obtengas resultados extraordinarios.

Una vez que penetras en el camino del conocimiento personal, resulta casi imposible que vuelvas a perderte en otros. Dejas de interesarte por los dogmas, o no permites que los demás decidan qué es lo que tienes que creer, o qué es lo que hace que seas sano o «espiritual». Cuando levantas el velo de tu verdadero Yo, te vuelves menos dependiente de la experiencia o de la aprobación de los demás porque obtienes un nuevo sentido pleno de confianza en ti mismo en tu propia manera de conocer la verdad. Te vuelves un pensador libre.

SANAR LA CODEPENDENCIA

La codependencia ha campado por sus respetos en nuestro país. Es un modelo imperfecto de lo que se supone que es la devoción a Dios en un servicio entregado. Sin embargo, se ha perdido el conocimiento de que tienes que tener un Yo antes de poder entregarlo. Pasamos del Egoísmo al desinterés, por ese orden. Sin el menor sentido de la Invidualidad, vivimos la vida de los demás y dedicamos muy poco tiempo a avanzar en la nuestra propia. Despertar significica descubrir tu propia fórmula para vivir adecuadamente.

El trabajo interior psicoespiritual es el sanador de la codependencia. Seguir el camino del conocimiento personal conduce a recordar que formas parte de lo Divino, y te libera de la sensación de impotencia a la vista de juicios espinosos y de decisiones difíciles. Penetras en tu historia de creación con la confianza propia de un cocreador. Tu concentración pasa de las distracciones exteriores a pintar el maravilloso retrato de un Yo que es plenamente consciente de su propio potencial y que lo disfruta inmensamente. Esta forma creativa y magistral de ser es tu derecho de nacimiento. Tú eres tu maestro más importante y el Yo que creas junto a tu Poder Supremo es tu don al despliegue de la humanidad.

LA LECCIÓN DE LA VIDA

Comprometerse con la vida que estás destinado a vivir

El hecho de que estés leyendo este libro indica que te has dado cuenta de que debes seguir un rastro interior hacia la verdad de tu ser y que estás dispuesto a aprender a confiar en este camino interior. Por tanto, ahora es el momento de profundizar en tu práctica de mirar en tu interior y de escuchar a la voz de tu propio Yo interior.

Haz un repaso de tu inventario para ver si hay alguien a quien hayas entregado tu poder, cualquier «experto» cuyos puntos de vista hayas adoptado sin cuestionártelo. ¿La vida o la sabiduría de quién consideras que es más valiosa que la tuya? Puede que sea una de tus relaciones íntimas, o quizás un médico, un ministro de la Iglesia o un psíquico. Debes estar dispuesto a examinar cualquier dogma o fórmula que puedas haber adoptado que no procediera de tu interior. Si apareces con algo, plantéate ahora si has reflexionado en lo que has adoptado y sabes que es *tu* verdad. Y, si es así, no hay problema. No olvides que eres capaz de tener un «pensamiento libre», un pensamiento fresco.

La lección de la vida te proporciona la práctica de ver el mundo que te rodea como un reflejo de tu realidad interior. Cada vez que lo necesites, puedes acceder a la Gran Mente del mundo y extraer de ella aquello que tu mente individual necesita comprender. Por tanto, debes tomar nota de esto mientras van avanzando los días, a cada momento, tomando las decisiones oportunas. Cuando confías en que la vida interior es algo real, te conviertes en un «científico del alma». Documentas tus descubrimientos escribiendo en tu «librito» y en tu diario espiritual, registrando todo lo que recibes y que parece ser importante, y anotando cómo los mensajes que te proporciona el mundo te afectan personalmente.

Al principio puedes descartar lo que sucede como una simple coincidencia. Pero después de llevar a cabo una pequeña investigación, te darás cuenta de que las revelaciones que te llegan a través de la coincidencia son «reconocimientos» de que el plan divino para la humanidad se está desplegando a través de ti, al igual que lo hace a través de todos aquellos que estén dispuesto a convertirse en co-creadores conscientes.

Tal vez este Principio de la Vida tan particular resulte especialmente relevante para ti en este momento. Si es así, estás llamado a recuperar tu poder como una persona realizada personalmente y a saber que ahora tienes que concentrarte en desarrollar tus propios dones personales en lugar de reverenciar a las demás personas que ya están expresando los suyos. Puede que estés a punto de superar una sensación de inercia espiritual adoptando una actitud y ocupándote de la tarea que tienes entre manos.

Limitarte a actuar «como si» ya supieras que tienes un papel que representar en el drama que se despliega en el mundo puede poner en marcha la expresión de tu propia y verdadera llamada. Debes advertir también que comenzarás a conseguir información de aquellas personas que te rodean y que hayas conseguido cambiar, que hayas hecho más fuertes, más ligeras, más vivas.

La clave de esta lección de la vida es aprender a vivir a través de la sabiduría que has adquirido a raíz de tu propia experiencia directa en la vida. Dentro de ti tienes un «detector de verdades». Este detector reside en tu corazón. Tu corazón te dictará cuándo te encuentras en presencia de la autenticidad y emitirá un «ruido» cuando te encuentres descarriado de tu camino o hayas caído en la falsedad. Mira en tu interior, hacia la luz que brilla dentro de ti, ya que ahí es donde se encuentra el corazón de la vida que estás predestinado a llevar.

LA PRÁCTICA

Permanecer en la propia luz de tu alma

Un ejercicio de imaginación guiada

Pon música relajante e inspiradora que no tenga letra que puedas entender, cierra los ojos y penetra en tu interior durante unos minutos. Puedes pedir a alguien que te lea este ejercicio de imaginación guiado o grabarlo y escucharlo con tu propia voz...

Imagínate que te encuentras en un círculo de luz, mirando hacia tu futuro... Deja que la luz penetre en tu mente y en tu corazón e inunde todas las células de tu cuerpo... Observa cómo se siente al estar rodeado de esta luz... A continuación, sé consciente de que esta luz procede de tu propio centro, desde el Yo realizado que hay en tu interior...

Advierte cómo te sientes cuando te encuentras allí, bañado con la luz de tu propia alma... Observa que no necesitas nada que proceda del exterior... Eres un ser completo... Date cuenta de que siempre eres esta luz..., y fija este sentimiento como el estado de consciencia con el que deseas vivir...

A continuación, regresa a esta realidad y contempla qué es lo que acaba de suceder en tu vida interior... Puede que quieras escribir o dibujar durante un tiempo para expresar cualquier conocimiento que hayas adquirido.

Puedes llevar esta imagen contigo ahora, siempre, a todas partes que vayas. Nadie tiene por qué saber que lo estás haciendo. Es un asunto privado. A medida que haces consciente este proceso, comenzarás a advertir que puedes eliminar dulcemente cualquier circunstancia negativa con la que te puedas encontrar. Cuando la luz penetra en la escena, toda la oscuridad o la negatividad comienza a moverse de manera natural hacia el centro, hasta que se evapora en lo que es bueno, cierto y hermoso. Cuando llevas la luz hacia cualquier situación o conflicto, la oscuridad comienza a disiparse y las personas que te rodean se ven afectadas, aunque puede que nunca lleguen a saberlo.

Cuando te conviertes en un experto portador de luz y asumes la responsabilidad de transportarla, tu luz se expandirá todavía más. Ser un portador de luz para el mundo significa que vives tu verdad y que dices tu verdad por medio de un corazón bondadoso.

Sin lugar a dudas, tienes este poder si te permites a ti mismo permanecer en la luz de tu propia alma..., recordando que no se puede añadir nada desde fuera, ya que todo procede del interior.

15

El Décimo Principio Personal

«Tus síntomas de malestar no son patológicos; son los dolores del parto de una nueva consciencia»

Nuestra historia es un nacimiento. Es el nacimiento de la humanidad
como un solo cuerpo. Lo que Cristo y todos los grandes seres
nos revelaron cuando llegaron a la Tierra es cierto.
Somos un solo cuerpo, nacido en este universo.
Ve y cuenta a los demás la historia de nuestro nacimiento.

BARBARA MARX HUBBARD

TU CRISIS ES UN NACIMIENTO

En nuestro proceso de despertar, las energías siempre se mueven en dos direcciones opuestas. Cuanto más crece un árbol, más profundas son sus raíces. Así es como funciona nuestra naturaleza híbrida. Por una parte, nos convertimos más en un individuo, mientras que, al mismo tiempo, cavamos profundamente en la mente inconsciente colectiva para congregar a nuestro Yo superior y a nuestra conexión con toda la humanidad. Un entendimiento del Yo es un sentimiento de eternidad y de encontrarse más allá de la vida y de la muerte. Comenzamos a sentirnos más obligados a estar al servicio de la humanidad, que nos coloca más *en* la vida en lugar de estar apartados de ella. Cada vez que nuestro ego deja atrás este proceso, cuando comienzas a volverte consciente puede entrar sigilosamente una especie de elitismo, algo que se puede llegar a confundir con el hecho de ser sincero con tu Yo.

El nuevo ser humano que está naciendo en ti como consecuencia de tu disposición a encontrarlo es una personalidad movida por el alma que piensa en lo que es bueno para todos y, al mismo tiempo, que también sigue aceptando sus necesidades individuales. Por medio de ti, algunos están dispuestos a llevar esta resurrección a las masas —engendrando a tu Yo—. No sólo te sanas a ti mismo, sino que conviertes el Amor divino universal en una posibilidad individual. Aprendes a llevar esta doble vida con gracia no sólo como individuo, sino también como una parte vital del Yo colectivo.

Sin embargo, la mayoría de los seres humanos tenemos un problema: como casi ninguno somos conscientes de esta importante misión ni tiene conocimiento de nuestra conexión con lo pleno, se ha convertido en una norma asumir nuestras condiciones y, a continuación, identificarse con ellas hasta el punto de tomarnos personalmente, prácticamente, todo lo que nos sucede. Olvidamos completamente cómo liberarnos de aquello que hemos aceptado hacer conscientemente. Nadamos alrededor de las construcciones mentales, de los sentimientos y de las conductas de los demás, de la sociedad y de nuestra cultura, que mantienen en su sitio los viejos patrones, olvidándonos de los trabajos del amor que debemos trasladar a la familia de la humanidad.

Este movimiento hacia la plenitud es nuestro derecho de nacimiento y un estado de consciencia muy elevado. Sin embargo, a menudo experimentamos este cambio a la vida superior como una crisis. El ego sabe que debe sacrificar sus necesidades egoístas que no gratifican al alma. La muerte del ego resulta dolorosa, pero es un elemento necesario en este viaje humano y sagrado. Procura no olvidar jamás que cuando tu ego está muriendo para tener algo que piensa que no puede vivir sin él, estás consiguiendo algo más grande. Nunca se pierde nada, sino que sólo se transforma en algo nuevo. Pue-

des tener fe en que siempre nos estamos moviendo hacia una realidad mayor, aunque muchas veces no lo sabemos.

UNA VISIÓN DEL FUTURO

En 1993 tuve una visión: me encontraba arrastrándome hacia
fuera de la madriguera de un zorro, o de una especie de movimiento de tierra, y me vi a mí misma ascendiendo una colina en una nueva Tierra, donde no había ninguna tecnología creada por el hombre,
sólo había naturaleza pura y dura. Comencé mi ascenso siendo un
pequeño bebé, pero cuando llegué a la cima de la colina me había
convertido en una mujer completamente desarrollada.

Al principio pensé que me encontraba sola. Y me sentía muy triste. Después, miré a mi alrededor y vi que *todos* estábamos allí: feli-
citándonos a nosotros mismos por haber realizado alguna misión
muy importante. «¡Lo conseguimos!», gritábamos con júbilo, mientras corríamos a abrazarnos para celebrarlo. Era como si todos hubiéramos recordado para qué habíamos venido a la Tierra y en ese
momento hubiéramos finalizado nuestra tarea y estuviéramos diri-
giéndonos a Casa.

A continuación, me di cuenta de que la tierra de la cual habíamos aparecido estaba entonando su canto; a pleno pulmón y muy
orgullosa. Estaba cantando a voz en grito un grandioso y terrenal
rock and roll. Era una música hermosa —sensual, atractiva y vi-
brante— y el ritmo, muy intenso y contagioso. Entonces me di cuenta de que desde el cielo de color azul magenta que había en nuestro
nuevo mundo, los seres se acercaban a saludarnos desde la lejanía.
Eran criaturas etéreas, perfectas y encantadoras, casi transparentes,
con muy poca forma. Apenas resultaban visibles, salvo por sus mag-
níficos ojos. En el centro había una figura que me miraba como si
fuera Cristo. Todos ellos se dirigían hacia nosotros.

Cuando las vidas terrestres y las vidas celestiales comenzaron a fundirse, me di cuenta de que las criaturas que se encontraban en el cielo estaban entonando su canción para saludarnos. Su música consistía en unos coros elevados y armoniosos, y era celestial y melódica. Aunque resultaba vivificante y era hermosa, su música apenas tenía sustancia, no tenía marcha. Estaba perfecta y regularmente entonada, sin evocar ninguna pasión humana.

A continuación, sucedió lo más sorprendente de todo: los atractivos sonidos orquestados de la Tierra y los del coro celestial se mezclaron en una sinfonía, y juntos crearon la música más increíble que había oído jamás. Todavía tenía que escuchar con los oídos humanos. Mientras sonaba la música, cada invitado celestial entraba en cada uno de los cuerpos y, de forma individual, nos amalgamamos en un solo Ser. Y allí estábamos: convertidos en una nueva y flamante especie. Todos nos dirigimos hacia el este y comenzamos a caminar en calma hacia un nuevo amanecer, como si supiéramos exactamente hacia dónde nos dirigíamos.

¿PODRÍA SER ÉSTE NUESTRO DESTINO COLECTIVO?

Quizás ésta no es sólo mi historia, sino también la historia de todos los seres humanos. Cuando nuestra memoria cósmica comienza a regresar, podemos ver que todos estamos aquí por una razón parecida. El objetivo de haber nacido en la Tierra es asumir la condición humana, penetrando en nuestra particular cadena de ADN para así poder purificarnos todo lo que podamos y convertirnos en el verdadero Yo que estamos destinados a ser. El código familiar que cada uno de nosotros posee pertenece a nuestra cadena ancestral específica, que contiene una debilidad determinada y una disfunción en los tres niveles humanos básicos: una serie de «atascos en la máquina» de carácter físico, emocional y mental. Como hemos aceptado estas deficiencias familiares específicas sin redimir, somos los únicos que podemos sanarlas siendo conscientes de esa disfunción y cambiando el código.

La única manera que tenemos para poder transformar un patrón familiar arraigado es penetrando en él para poder conocerlo completamente. Cuando estamos atrapados por una difícil disfunción familiar en cualquier nivel, nos volvemos hacia ella y la miramos directamente a los ojos. Ahora estamos tomando el mando en lugar de ser poseídos inconscientemente mientras miramos hacia el otro lado. Nos detenemos, tomamos nota y observamos qué es lo que nos está impulsando y por qué. A continuación, desde esa posición de conocimiento, cambiamos y nos convertimos en lo que queremos ser. Lo comprendemos, lo sanamos y aprendemos a comportarnos de una manera completamente nueva. De esta manera, cada uno de nosotros cumplimos con «nuestra tarea» en la concepción de un nuevo nivel superior de consciencia que ahora es conocido por toda la humanidad.

ETIQUETARNOS COMO ENFERMOS O LOCOS ES UNA MALDICIÓN

Resulta triste ver cómo nos convertimos en enfermos patológicos por tener problemas en la vida, o por volvernos algunas veces un poco locos o por cometer errores que nos resultan vergonzosos. ¡Hemos venido aquí para hacer precisamente eso! ¿De qué otro modo podemos conocer en nuestro interior cómo se siente ser humano? Tenemos que volvernos sombríos para comprender la sombra; debemos experimentar lo que supone ser ineptos o estar mal preparados en la vida para saber cómo ser sabios. Tenemos que hacer daño para saber cómo se siente al estar heridos. ¿De qué otro modo podríamos desarrollar compasión por los demás seres humanos si nosotros mismos no hemos sufrido o nos hemos engañado a nosotros mismos?

Ir por la vida calificándonos a nosotros mismos de seres enfermos, con etiquetas que nos convierten en enfermos patológicos, es una especie de maldición: acabarás por convertirte en aquello con lo que te has nombrado. Esto crea una crisis de identidad para tu alma emergente, una crisis que puede acabar con tu motivación para progresar hacia la realización de todo tu potencial. Los diagnósticos nunca deberían ser determinantes: tienen que fluir con nosotros, a medida que vamos y venimos a través de las pruebas que nos presenta la vida con los constantes dolores de renacimiento que aparecen en todos los aspectos de nuestra naturaleza.

Tú, que eres la musa de alma, escucharás este mensaje con un intenso sentido de «¡Estás hablando conmigo!», «Estás verbalizando el significado y el objetivo de mi vida». Las personas que te apasionan son las que asumen riesgos, las que están dispuestas a ir más allá de los límites que conocemos y a moverse hacia la revelación de nuestro próximo estado de existencia. Eres el buscador que «va en cabeza». En última instancia, toda la humanidad tendrá que atravesar este camino interior.

El cambio de paradigma que estamos llevando a cabo actualmente es el cambio que se aparta de vernos a nosotros mismos como seres malos, equivocados o enfermos. El cambio consiste en ver que estamos esforzándonos naturalmente para traer una nueva forma de existencia, una forma que no esté atada de manera tan egoísta a la vida separatista y personal, sino a una vida que esté más conectada con un servicio a la plenitud. El Gran Libro de Doce Pasos de Alcohólicos Anónimos, afirma: «Una vez recuperados de un estado mental y corporal de desesperanza, transmitimos este mensaje a aquellos a los que servimos». Una vez que *hemos estado ahí*, tenemos un mensaje que transmitir. Nosotros *somos* el mensaje.

Cuando cada uno de nosotros se compromete a llevar a cabo su propia sanación, no sólo estamos ayudándonos a nosotros mismos, sino también a todos los demás que tienen un problema similar. Y esto es algo que espero que te llegue de tal modo que siempre seas capaz de recordarlo: cada vez que alguno de vosotros hace algo consciente y lo sana en su interior, habrá creado un poco más de luz en el Alma Humana que todos compartimos dentro de la dimensión arquetípica y creadora de patrones de la realidad. En la antigua filosofía de la sabiduría, a esto se llama «el camino de la retribución kármica». Tomamos aquello que necesitamos para poder sanarlo y luego lo llevamos fuera de la psique humana para poder eliminarlo en toda la consciencia de la humanidad. Nos convertimos en el nuevo humano, o lo que tengamos que ser, según nuestra propia afirmación de existencia.

NUNCA SOMOS ALGO «SÓLO PERSONAL»

Carl Jung dijo una vez que nunca podemos separarnos de nuestras raíces arquetípicas, de igual modo que un órgano no se puede separar de su cuerpo físico. Estamos muy conectados a todo lo que existe. Por tanto, por mucho que podamos tomarnos las cosas de manera personal, nuestros problemas o preocupaciones que tenemos en la vida *nunca* son «sólo personales». Esto es una ilusión, una ilusión que muchas personas tienen. Recordar no tomarse las cosas desde el punto de vista personal es un potente factor curativo en nuestro despertar.

Engendrar una nueva consciencia significa que te estás despojando de una vieja personalidad que has desarrollado y que te estás expandiendo en un Yo más amplio. Esto es doloroso desde el punto de vista emocional, ya que el nacimiento biológico es doloroso desde el punto de vista físico. El nacimiento es el nacimiento a todos los niveles de consciencia: un abandono de una vida inferior y una entrada en una vida superior, donde toda cimentación de la realidad es extraña en ti. Si eres capaz de imaginarte teniendo que romper tus límites, despojarte de tu piel y meterte en un nuevo armazón —eso es lo que está sucediendo ahora mismo en tu consciencia—, te estás volviendo más espacioso. Te estás expandiendo más allá de lo que te ha resultado familiar.

Experimentar ciclos de muerte/renacimiento son procesos de transformación naturales que nos suceden, tanto si nos gusta como si no, y tanto si lo sabemos como si no. Todas las ideas de renacimiento se basan en esta realidad. La propia naturaleza exige un proceso constante de muerte y renacimiento. Y *nuestra* naturaleza se incluye en esta exigencia.

LA LECCIÓN DE LA VIDA

Ser demasiado sensible o estar demasiado ensimismado en uno mismo

Si esta lección te afecta directamente, entonces puede que no seas consciente del aspecto colectivo e impersonal de algún problema que actualmente te pueda estar atormentando. Haz una pausa y reflexiona sobre algún problema grave actual en el que estés involucrado y observa si ése es el caso. Si es así, te lo estás tomando desde el punto de vista personal, estás pensando sólo en ti mismo y, por tanto, tus emociones son reactivas en lugar de estar libres para actuar desde una mente clara. Te encuentras nadando en las aguas turbias de un melodrama personal, quizás incluso sintiendo lástima de ti mismo, o estás capacitado para hacer algo mejor. Advierte lo enganchado que estás a esta situación; cuánto hablas de ello, sintiéndote como una víctima, o haciendo que se convierta más en un drama de lo que realmente necesita ser. Observa lo preocupado que te has vuelto por ti mismo. Habla con un par de amigos de confianza y pregúntales cómo te están viendo en esta circunstancia en particular. Encuentra una opinión objetiva.

Recuerdo una vez en la que me sentía furiosa con un antiguo novio del que estaba convencida que me había traicionado. Hablé de ello una y mil veces con una de mis mejores amigas durante varias semanas, por teléfono y cada vez que estábamos juntas. Ella oyó la historia una y otra vez, escuchando pacientemente con compasión mientras me ponía como una energúmena, despotricaba y me repetía a mí misma *ad nauseum*. Finalmente, un día ella dijo: «Jacquie, estás a punto de contarme la misma historia por quinta vez. Pero si de verdad necesitas volver a contarla, estoy dispuesta a escucharte». Ésa fue una de las experiencias más terapéuticas que nunca haya escuchado. Me hizo saber lo obsesionada que estaba y lo mucho que ella me quería con sólo emplear una sola frase. No me sentí juzgada por mi insensatez. Me había entregado una clave.

Es necesario tomarnos las cosas de tal modo que nos permitan sanarlas. ¿Recuerdas? Ahora te has identificado con ellas. El ejercicio de desidentificación que aparece en la práctica del Tercer Principio Personal te podrá ayudar a ello. Por tanto, debes remitirte a él ahora. A continuación, puedes encontrar otra práctica que te pueda ayudar a despertar y a salir de tu problema actual.

LA PRÁCTICA

Nadar a través del mar de las emociones sin verte enganchado

Un ejercicio de imaginación guiada

Como muy bien ya sabes, tus emociones están «descafeinadas» por naturaleza y cuando se vierten, se agitan como un mar turbulento. Mientras tu cuerpo emocional se sienta tan sumamente irritado, no podrás ver la realidad de cualquier situación; estás «enganchado» y, en lugar de actuar desde el centro, *reaccionarás* desde algún viejo patrón, desde un fragmento de ti mismo que todavía vive en el pasado. Puedes cometer un grave error si eliges emprender alguna acción mientras te encuentras en este estado de desequilibrio. Por tanto, necesitarás «sofocar las aguas» y entrar en un estado de equilibrio. Este ejercicio de imaginación podrá ayudarte:

Cierra los ojos y penetra en tu mente. Y con el ojo de tu mente, imagínate a ti mismo en un barco que está siendo sacudido por una tormenta en el mar. Siente que esto mismo te está sucediendo, mientras te esfuerzas por recuperar el equilibrio y salvar tu vida... Advierte cómo se siente al estar agitado de esta manera...

A continuación, establece la conexión con el problema que estás teniendo en tu vida, donde estás siendo tan reactivo y turbio. Advierte quién se encuentra en el barco contigo... Y observa cómo te relacionas con ellos y ellos contigo...

Al mismo tiempo, con la situación problemática todavía en tu mente, crea una imagen en la que las aguas comienzan a calmarse a medida que la tormenta cesa y el Sol asoma por detrás de las nubes... Poco a poco, las olas empiezan a entrar en la calma de un día sin viento en el mar...

A continuación, te encuentras flotando en la quietud de una charca que se encuentra cerca de la orilla... Ahora estás echando el ancla en un puerto seguro... Respirando sin dificultad... Lo que antes había sido una situación terrible se ha convertido en una situación de completa seguridad y calma.

Mientras reflexionas sobre el problema que tienes entre manos, invadido por la quietud, ahora resulta sencillo discernir qué debes hacer de una vez por todas para solucionar esta situación problemática.

Tómate cierto tiempo para sentir agradecimiento por tu imaginación creativa y por tu Yo superior.

* * *

ESTAR PENDIENDO DE UN HILO

Un ejercicio de paciencia

Cuando sientas que una vieja vida ha muerto y que la nueva todavía no ha llegado, aprendes el arte de estar «pendiendo de un hilo». Esta frase fue acuñada hace aproximadamente quince años durante un intercambio con un grupo de mis estudiantes en Georgia. Varios miembros del grupo nos habían comunicado que se encontraban viviendo en sus automóviles. Estas personas se habían esforzado tanto por crear una nueva vida, que habían tomado decisiones que no eran lógicas, abandonando su único medio de vida antes de que se hubiera llegado a anunciar el nuevo camino. La frustración en el grupo era enorme, hasta que alguien que había insistido una y otra vez en sus quejas, finalmente gritó: «Me siento como si estuviera colgado en mitad de ninguna parte».

«Bueno, supongo que tendrás que colgarte del hilo», dije, con cierta irritación, que inmediatamente se convirtió en un chiste y nos dio a todos una buena oportunidad para reír.

Si este sentimiento de estar colgado en el espacio entre dos vidas te está sucediendo en este momento, dedica tu tiempo a aprender cómo salir de ese estado de «estar en ninguna parte». Lo creas o no, durante esta etapa en particular de tu viaje puedes aprender a relajarte especialmente si tienes algunos buenos amigos que apoyen tu proceso y te ayuden a sentirte menos ansioso o desconectado con la realidad.

Eso te ayuda a visualizarte a ti mismo, como el artista del trapecio que se acaba de soltar de una barra y está tratando de alcanzar la otra que se encuentra en su camino. Debes decirte a ti mismo que debajo de ti hay una «red de seguridad»; que si te caes, te podrá sujetar. Esta red de seguridad es el contexto de transformación en sí. Tal y como ya has aprendido, la metamorfosis es movimiento. Sabes que, independientemente de lo que suceda, las cosas cambiarán. Incluso el miedo o la desesperación acabarán por desaparecer. Más tarde, mirarás hacia atrás y verás que este momento de pender de un hilo fue terrible, pero que también tuvo un propósito y es un motivo de alegría. En el «momento abierto» puede suceder cualquier cosa, y no hay duda de que algo va a ocurrir.

A continuación encontrarás un proceso que puede ayudarte a apoyarte a través de esta etapa de apuro:

- Concéntrate con todas tus fuerzas en tu intención espiritual.
- Imagina que tu «vibración» personal se ajusta con la energía del Poder Superior.
- Entrégate conscientemente a esta vibración superior sabiendo que puede pasar a través de ti.
- A continuación, déjate llevar.
- Permanece «en presencia» de tu Poder Superior o de tu guía interior, independientemente de lo que esté sucediendo. Ten confianza en que se está llevando a cabo un proceso de nuevo nacimiento.
- Espera pacientemente y reconoce tu nueva vida a medida que empieza a «mostrarse».
- Debes estar dispuesto a dar el primer paso hacia tu nueva vida, independientemente de lo vulnerable o de lo mal preparado que te puedas sentir. ¡Hazlo! Y te encontrarás en tu camino.

* * *

CAMBIAR A LA DIMENSIÓN VERTICAL DE LA CONSCIENCIA

Un ejercicio para mirar en tu interior

Sacrificar algún viejo apego o identidad puede indicar que es un buen momento para mirar en tu interior y recibir mensajes de tu alma. Tu propia consciencia crea un cambio de sentido, pasando de un plano horizontal terrenal, que se despliega a lo largo de una línea del tiempo del pasado, presente y futuro, a la sagrada dimensión interior vertical, que se despliega más allá del espacio y del tiempo. Cuando cambias a la perspectiva vertical, en lugar de mirar hacia el exterior te concentras en mirar hacia arriba o hacia dentro.

Éstos son los pasos que puedes seguir si estás preparado para realizar este cambio:

1. Encuentra un lugar tranquilo donde no te vayan a molestar y relájate profundamente.
2. Trae a la mente una imagen de tu Poder Superior.
3. Imagínate que te encuentras en la intersección de un cruce, en el punto donde se encuentran las líneas vertical y horizontal.
4. Levanta la vista y ofrece todo lo que te estás liberando con las manos abiertas.
5. Siente verdaderamente lo que estás entregando con las manos.
6. Si aparecen las lágrimas o los sentimientos, deja que fluyan sin impedimento hasta que remitan de manera natural.
7. Da las gracias al Poder Superior por esta oportunidad de despojarte de esta parte de tu ser que te gobierna, una parte de tu ser que ya no necesitas más.
8. Siéntate en el hueco que crea esta pérdida y siente ese vacío. Debes estar dispuesto a permanecer con este sentimiento durante un instante.
9. Tómate un momento para visualizarte viviendo con este apego.

10. Cuado sientas que es el momento adecuado, deja que el vacío se llene con un sentido de dicha y de alivio. Respira, inspirando este sentimiento con despreocupación. Haz que sea real.

11. A continuación, en tu mente, obsérvate cómo avanzas: más ligero, libre, sin carga.

* * *

UN ACTO COTIDIANO DE RECUERDO PERSONAL

Al menos una vez al día, durante todo el mes, lee este párrafo y dedica cierto tiempo a reflexionar sobre quién eres, sobre la persona que siempre has sido:

Si soy capaz de recordar quién y qué soy, y lo que todos los que estamos aquí somos y hacemos, los ricos recuerdos de un pasado lejano y de un futuro emergente todavía sin labrar regresarán y me llevarán hacia delante como una estrella fugaz, hacia la lejanía.

«El pasado lejano» es tu recuerdo cósmico, llegando a ser el principio de todas las cosas. «La lejanía» es ese lugar que se encuentra en la consciencia, donde la imaginación creativa se convierte en nuestra única avenida para llegar allí. Es todo el potencial sin exprimir que nunca se ha imaginado. Aquí lo «ideamos». Y entonces podemos observar cómo se materializa. Como cocreador, gozas de ese poder. Este poder siempre tiene que filtrarse a través de las cualidades del amor y de la sabiduría.

16

EL UNDÉCIMO PRINCIPIO PERSONAL

«Un corazón abierto es el puente hacia lo Divino»

Cada vez que nos quitamos las máscaras y nos encontramos
cara a cara, nos despertamos de nuestro sentido
de separación, que es lo que
estamos llamados a hacer en todas las cosas.

RAM DASS

EL CHAKRA CORAZÓN, SITUADO en el centro del pecho, establece un vínculo entre nuestro cuerpo y nuestro espíritu e impulsa la fuerza vital que mueve nuestra naturaleza sentimental. De manera intuitiva, sabemos lo importante que es el corazón, no sólo para el cuerpo físico, sino también para el alma. Cuando los deportistas salen a ganar, decimos que «han puesto el corazón en el juego». Cuando estamos destrozados por una tragedia, decimos que «nos duele el corazón» o que «tenemos el corazón roto». Cuando estamos conmovidos por la generosidad y la compasión de un benefactor, describimos a esa persona como un ser que es «todo corazón».

Las palabras como ésas apuntan a una profunda verdad que nos resulta cada vez más clara a medida que nuestras emociones se sanan y nos despertamos espiritualmente. La energía emocional del chakra corazón es un puente que nos une con los planos superiores, donde el Amor Divino continuamente hace posible la creación. Cuando nuestro corazón se abre, nos sentimos llenos de energía creativa y en contacto con el poder puro de la Fuente. Cuando nuestro corazón está cerrado no podemos acceder a los sentimientos que proceden del plano espiritual. Estamos desprovistos de inspiración y de la dicha que proporciona ser el verdadero Yo.

Actuando como un puente entre la personalidad humana y el alma, un corazón abierto nos ayuda a sanar cualquier división que haya entre lo que está sucediendo en nuestra vida espiritual y lo que la vida colectiva espiritual nos está llamando a ser o a hacer. Un corazón abierto es capaz de mantener «la tensión entre opuestos» entre lo que nos está sucediendo personalmente y su significado universal más profundo. Sabemos cuándo hemos cubierto este vacío porque experimentamos una sensación pacífica de calidez y liberación justo en el centro del pecho.

Por ejemplo, supongamos que se te ha roto el corazón por la inminente pérdida de un ser querido que se encuentra en el proceso de fallecimiento. Llegas a sentir su angustia en forma de un vacío en el pecho. Sin embargo, cuando abres tu corazón a un sentimiento de compasión por el sufrimiento de tu ser querido, tu angustioso vacío entra en equilibrio gracias a una sensación de plácida calidez hacia todas las personas que sufren, con un conocimiento sereno de que la muerte también les proporciona paz. De igual modo, se puede equilibrar un sentimiento de enfado intenso por la traición de un amigo a través de un reconocimiento sincero de tu gratitud por la lección que acabas de aprender como consecuencia de esta experiencia. Dentro del corazón, el dolor y el placer se vuelven una sola cosa. Lo soportamos. Nos liberamos, y la plenitud y el vacío se combinan y se equilibran.

EL CORAZÓN ES EL PUNTO EN EL QUE SE ENCUENTRAN
LO PERSONAL Y LO INTERPERSONAL

Cuando nuestras penas y nuestras alegrías se mezclan, la personalidad humana se contrae a la pequeñez del dolor individual y se expande para abarcar el sufrimiento de todo el mundo. Ni nos regodeamos en el dolor y en la alegría, ni se pretende buscarlo; ni se desprecia o ignora. Los místicos describen esta «tensión divina» como un estado de dicha en la cual participa todo el Yo. Lo personal y lo colectivo se combinan y se ascienden a la punta del triángulo, en esa tercera y superior síntesis que es libertad y plenitud emocional.

El corazón une mientras que el intelecto divide. El sentimiento del corazón es lo opuesto de la racionalidad fría y eliminada. Cuando nos quitamos la máscara de la separación y hablamos con otra persona «de corazón a corazón», nuestro lazo en común anula cualquier sensación de «yo» y de «mío» y nos une como compañeros de viaje en el periplo humano. El puente del corazón permite mantener un diálogo genuino y nos conecta con la verdad absoluta del momento. Una atmósfera de amor incondicional fomenta el acuerdo y el intercambio amable para que todo el mundo pueda salir ganando.

Recientemente, en una sesión de terapia familiar, trabajé con un padre y su hija adolescente. La hija había sido descubierta fumando marihuana después del colegio y el padre estaba tan disgustado con ella que apenas se podía sentar en la silla. La disputa aumentó cuando el padre aireó a voz en grito su opinión acerca de las drogas y de la estupidez de los chicos que las consumían. La chica tenía el mismo grado de disgusto, diciéndole a voz en grito lo severo y moralista que era por no darle la oportunidad de explicarse o de disculparse. Los dos estaban tan dominados por su ira que ni siquiera pude meter baza.

Finalmente, conseguí decir al padre que mirara a su hija a los ojos. Mientras hacía esto, la energía en la sala cambió de repente. Su voz se ahogó por las lágrimas, cogió la mano de su hija, y dijo: «No estoy seguro de saber cómo puedo ser un buen padre. ¡Me asusta tanto que te puedas hacer daño o que pueda llegar a perderte!» Cuando ella escuchó su sincera confesión, su barrera defensiva se vino abajo. En esta comunión del corazón, los dos se calmaron y comenzaron a elaborar relajadamente un plan para resolver este conflicto.

Como el corazón vincula nuestras experiencias personales de dolor, pérdida, temor, remordimiento y pena con el significado superior o espiritual de sufrimiento y tragedia humana, nos permite ir más allá de cualquier reactividad centrada en uno mismo. Cuando nuestro corazón se abre, podemos responder al dolor de los demás con verdadera empatía, experimentando tanto una compasión personal como una objetividad interpersonal. Ambas respuestas se producen al mismo tiempo. Esa expansión en la dimensión espiritual es el objetivo cósmico del sufrimiento personal. Por cierto, somos la única especie que sufre. Todas las especies experimentan dolor. Pero el sufrimiento es albergar dolor y contiene un componente mental de pensamiento catastrófico.

EL TRABAJO DEL CORAZÓN ES UN TRABAJO SAGRADO

El trabajo del corazón es un proceso universal sagrado conocido como iniciación. La palabra *iniciación* significa «penetrar en». Cuando simplemente se comprenden, las experiencias de iniciación nos permiten ascender por la escalera que conduce a convertirnos en seres humanos plenamente realizados. Adquirimos sabiduría y nos expandimos a medida que viajamos hacia el conocimiento de aquello que ya existe. Cuando tenemos la oportunidad de realizar una iniciación, podemos optar por responder. Podemos cerrarnos y adoptar una actitud de angustia personal o de proyección airada y culpar a los demás. O podemos esforzarnos por mantener la tensión entre nuestros sentimientos personales y el significado más amplio de lo que nos está sucediendo. ¿Qué lección podemos aprender aquí? ¿Qué es lo que mi alma quiere enseñarme? O, quizás, ¿qué es lo que mi alma quiere experimentar?

Tenemos una misión que cumplir. Nuestra tarea aquí consiste en prepararnos para que lo Divino pueda fluir a través de nuestra experiencia humana personal y salir hacia el mundo superior. El proceso de iniciación nos permite entrar en un estado de gracia en el cual podemos acceder al significado más profundo de cualquier cosa con la que nos encontremos. Los Iniciados Humanos son almas curtidas que nunca temen los ciclos de muerte y renacimiento. Siempre están abiertas a nuevos sentimientos, a nuevas ideas y a nuevos caminos. Entregarse a lo Divino que hay en nuestro interior y permitir que el Espíritu guíe nuestras vidas es su forma de ser natural.

La clave para experimentar la vida como una iniciación consiste en mantener el corazón abierto. Un corazón cerrado no te permite acceder a las dimensiones superiores desde las cuales se puede acceder a la imaginación creativa, a la inspiración y a la intuición. Sacudido por el miedo a cambiar y por la muerte, observas con ojos vacíos a un mundo amenazador lleno de lágrimas sin verter, de ira reprimida y de afecto sin expresar. El espíritu es incapaz de fluir a través de los sentimientos reprimidos que cierran el corazón.

El corazón abierto, por otra parte, permite que las experiencias de la vida lleven a cabo su magia transformadora que nos lleva a sanarnos y a despertarnos. Con un corazón abierto, pensamos tal y como lo hace nuestro Creador y sentimos tal y como siente nuestro Creador. Un corazón abierto es expansivo y libre. Cuando nuestro corazón está desatascado y corre libre, avanzamos de forma natural y sin miedo a través de todos los acontecimientos que se presentan en nuestra vida. El espíritu sopla a través de ti, y tú contemplas en tu mente imágenes de tu nueva vida, nuevas posibilidades que van más allá de tus actuales limitaciones. Al ver la vida a través de los ojos del alma, te conviertes en un agente de ideas inspiradas y de pensamiento libre. Ya nunca más tienes que soportar la carga de un pesado juicio ni de las opiniones del mundo. Puedes permanecer transparente para que los vientos del Espíritu puedan soplar a través de ti sin ningún obstáculo.

LA LECCIÓN DE LA VIDA

Actuar con corazón

Cuando vives «desde el corazón», puedes relajarte y limitarte a ser tú mismo. No tienes ningún interés personal, ninguna posición que defender, nada que ocultar, a nadie a quién impresionar. Actuar con el corazón te permite fundir tu negatividad y acabar con todos los juicios unilaterales, las creencias fanáticas y cualquier necesidad de ser reconocido como bueno o adecuado.

Un corazón que está contraído se siente lleno de ira o de resentimiento hacia alguien y acabará por consumir tu preciosa energía. Llega un momento en que estos sentimientos se convierten en depresión y pueden hacer que caigas enfermo. Es esencial para tu bienestar que aprendas a liberarte de la ira y del resentimiento no para no pagarlo con alguien que te haya hecho daño, sino por tu propio bien. Cuando devuelves a Dios a una persona que te ha producido dolor, liberas tu propia psique y tienes a tu disposición más energía para poder seguir avanzando a lo largo del camino.

Un corazón herido se cierra para protegerse. Por desgracia, muchos de nosotros nos hemos vuelto expertos en sentirnos heridos. Albergamos nuestras experiencias de abusos, adicciones, traiciones o traumas infantiles cerca de nuestro corazón como si nuestras heridas fueran nuestra identidad primaria. Nuestras heridas se convierten en una adicción. Muchas personas viven en este estado cerrado durante toda su vida. Cuando el corazón se atasca durante largos periodos de tiempo, muchas veces tiene que suceder algo grande para «acabar con todo» y para poder abrirnos, una vez más, a la vida. Las enfermedades graves, especialmente los ataques al corazón, pueden ser una de las formas que adopta este «acabar con todo». Paradójicamente, muchas veces es en los momentos de crisis cuando las familias se unen en el amor y se produce mucha más sanación y perdón cuando las heridas del corazón se comparten abiertamente.

Si este Principio te afecta directamente, puede que estés viviendo en una negación acerca de los efectos de alguna herida del corazón no curada que estés albergando en tu cuerpo. Puede que estés culpando a alguien que haya en tu vida por un daño pasado que hayas sido incapaz de sanar y de integrar. Tener bien claro cuál es el pasado y cuál es el presente es el primer paso para sanar este problema.

Párate un momento y pregúntate qué heridas emocionales pueden tener todavía necesidad de curar. ¿A quién tienes todavía que perdonar? ¿Puedes quererte a ti mismo lo bastante como para concluir cualquier asunto que tengas pendiente del pasado y pasar al presente? Nadie puede disipar la «niebla» del espejo de su psique salvo uno mismo. El trabajo del corazón sagrado puede exigirte que llames a un amigo o a un miembro de tu familia y fijéis un momento para entablar un diálogo de corazón a corazón acerca de cualquier proceso no culminado que todavía haya entre vosotros.

Una herida no curada del pasado también puede hacer que te «protejas» para no volver a ser herido en el futuro. Pregúntate a ti mismo si, y de qué manera, esto puede estar pasándote a ti también. ¿Te estás escondiendo de alguna nueva oportunidad que te invita a ir más allá de tu forma habitual de comportarte porque tienes miedo de no estar a la altura? ¿O tienes miedo de que te hagan daño? ¿Alguna figura autoritaria de tu pasado te ha hecho sentir como si hubieras fracasado? ¿O te da miedo tener que renunciar a algo sin lo cual crees que no puedes vivir?

Mientras practicas la tarea de actuar con el corazón, un día te darás cuenta de que has desarrollado la capacidad de vivir desde el corazón en todas las situaciones. Habrás salido de detrás del velo de la superficialidad y nunca más tendrás miedo a ser verdaderamente tú mismo. Seguro que conoces a personas que se comportan de esta manera. Yo también. Es una gozada estar al lado de ellas y son un modelo para nosotros de la belleza de la vida auténtica.

Las siguientes prácticas pueden ayudarte a disipar las heridas del corazón y a hacer que te dirijas hacia este método más abierto y valiente de vivir la vida.

LA PRÁCTICA

Aspirar hacia el corazón

Encuentra un lugar donde sentarte cómodamente durante un instante y cierra los ojos, concentrándote en tu respiración. Respira suavemente, inspirando y espirando mientras cuentas hasta siete (siguiendo tu propio ritmo)... Siente cómo tu respiración empieza a equilibrarse... Y advierte cómo tu cuerpo comienza a dejarse llevar y a relajarse... A continuación, comprueba si sientes alguna constricción o tensión que rodee a tu corazón... E introduce tranquilamente tu inspiración en el espacio donde se encuentra el corazón, sintiendo cómo el calor de la respiración empieza a disipar cualquier tensión u opresión que se haya acumulado allí... Siente cómo este calor comienza a extenderse por todo el tronco de tu cuerpo, hasta que te sientas espacioso y abierto..., como si estuvieras vacío y fueras transparente...

Deja que este sentimiento se extienda ahora por todo tu cuerpo..., hasta que te sientas perfectamente relajado y abierto.

A continuación, imagina que este calor del corazón comienza a extenderse más allá de tu cuerpo en el espacio que te rodea... Ahora se extiende hacia todas aquellas personas a las que amas...

Ahora siente cómo empieza a extenderse a lo largo de nuestro mundo, a todos aquellos que necesitan el tacto de un corazón afectuoso... Permanece con este sentimiento hasta que todo esté perfectamente tranquilo.

Regresa a esta realidad y emplea cierto tiempo a integrar este proceso. Sé consciente de que eres capaz de repetir este ejercicio cada vez que sientas que tu corazón está constreñido.

* * *

ENTREGARSE AL AMOR

Un ejercicio de imaginación guiada

Lee este ejercicio en su totalidad antes de empezar a practicarlo. Si la música te ayuda a activar tus emociones, pon alguna evocadora que no contenga letra, cierra los ojos y deja llevarte plácidamente por tus sentimientos...

Siente la tristeza o el dolor, el temor, la sensación de traición. Deja que se manifieste cualquier cosa que haya en tu corazón... A continuación, date permiso para afligirte por tus sentimientos de cualquier manera que consideres que sea apropiada. Llora, golpea una almohada, grita a los cielos, emite gruñidos sordos que procedan de lo más profundo de tu pecho... Como la ira también puede formar parte de tus sentimientos, expresa tu enfado de una forma que sea inofensiva... Grita, patea con los pies o da rienda suelta a tu furia... Deja que toda la energía de cualquier sentimiento que puedas haber reprimido pase a través de tu cuerpo y salga al exterior...

A medida que la emoción pasa a través de tu cuerpo, imagina

que una luz blanca suave penetra en tu corazón desde «el cielo de la mente». Observa que tu mente está en contacto con tu corazón, invitándolo a relajarse y a abrirse. Concéntrate en esta luz que inunda tu corazón hasta que experimentes una iluminación gradual de tus sentimientos. Utilizando tu imaginación creativa, sigue dejando que tu corazón se llene de esta luz hasta que te encuentres completamente relajado y tranquilo.

A continuación, permanece con esta sensación de iluminación y liberación hasta que la cavidad de tu pecho se vacíe y se sienta transparente... Tómate el tiempo que consideres necesario para llevar a cabo este proceso...

Deja que la música suene durante un poco más, y cuando todas tus emociones se hayan disipado observa cómo ahora te sientes mucho más ligero. Mientras regresas a tus rutinas habituales, puedes advertir una notable mejoría en tus respuestas emocionales y en tu claridad mental.

Cada vez que sientas que tu corazón está atascado con sentimientos reprimidos, debes saber que puedes repetir este ejercicio de liberación emocional.

17

EL DUODÉCIMO PRINCIPIO PERSONAL

«Cuando cultivas tu propia naturaleza, todo lo que te rodea comienza a crecer»

El otro día, mientras pasaba por un pinar
vi algunos pinos pequeños que crecían en el prado
de unas semillas que habían volado del
bosque... En unos cuantos años, si les dejan crecer, estos
brotes alterarán el rostro de la naturaleza que hay aquí.

HENRY DAVID THROREAU

TU CRECIMIENTO BIEN GANADO ES CONTAGIOSO

Por medio de tu disposición a conocer a tu Yo, has emergido como uno de esos brotes que alterarán el rostro de la naturaleza que hay aquí. En el Evangelio según Tomás, Jesús recuerda a sus discípulos: «Aquel que conoce Todo pero que no es capaz de conocerse a sí mismo carece de todo». Esta afirmación ahora se dirige hacia ti como una verdad que podrás compartir con los demás.

El crecimiento que has conseguido es contagioso. Las semillas de la sabiduría, de la belleza y del amor que has plantado mientras has recorrido el camino de la experiencia directa se han estado gestando bajo el suelo, en el oscuro «mundo de la noche» de tu consciencia. Regadas por la experiencia, alimentadas por la sincera consciencia de ti mismo, estas semillas de tu propio futuro floreciente ahora están dispuestas a salir a la luz, con tu energía sentida expandiéndose hacia todas aquellas personas con las que entras en contacto. Cuando tus emociones se hayan aclarado, habrás disipado la niebla de tu espejo interior y habrás conseguido equilibrar tus energías para poder empezar a vivir como tu verdadero Yo. ¡No más excusas! Tú eres simplemente tú.

Cuando tu vida está guiada desde el interior por los elevados Principios del Yo, lo extraordinario brilla a través de lo ordinario allá donde estés. Esto proporciona una sensación de significado y de propósito sagrado a todas tus actividades y ayuda a materializar el Espíritu en este mundo humano.

El secreto del verdadero servicio simplemente es éste: desarrolla al máximo nivel las cualidades de tu propia alma y la luz del Espíritu se expresará a través de todo lo que hagas. De este modo, todo aquel que aparezca en tu camino es atendido al estar en tu presencia. Las personas se sentirán bien consigo mismas de forma natural cuando estén rodeadas por tu campo de energía.

Todas las almas nobles que hayan habitado en este planeta hicieron su servicio definitivo con sólo ser plena y completamente ellas mismas. Todo lo que cada uno de nosotros aprende de nuestra propia experiencia directa lo tenemos que entregar a los demás para así poder convertirnos en guías a lo largo del camino. No guiamos a los demás porque seamos superiores a ellos, sino que lo hacemos porque estamos familiarizados con el paisaje interior y no tenemos miedo de lo que podamos encontrarnos allí.

Tanto si te das cuenta de ello como si no, con sólo ser tú mismo serás un modelo para los demás sobre cómo estar menos identificado con la personalidad y cómo estar más centrado en la consciencia del alma. Si has hecho los deberes, tu intuición ahora se inundará de muchas formas de transformar la energía que está constreñida dentro de un hábito negativo en la cualidad positiva que se encontraba oculta por debajo de esta mala costumbre. Sabrás cómo «cambiar el plomo por oro».

LOS SIETE PASOS DE LA CREACIÓN

Todo lo que desees crear desde ahora en adelante tendrá que atravesar una serie de siete pasos, comenzando por el chakra superior y descendiendo hacia los demás. No olvides que todas las nuevas creaciones emanan de la Fuente:

- Primero, a través del séptimo chakra, concibe la idea recibida por el Yo.
- Segundo, en el tercer ojo, que es tu sexto chakra, visualiza si la idea será buena para toda la humanidad. Si observas que no lo es, abandonarás la creación, dándote cuenta de que no procedía del Espíritu.
- Tercero, utiliza tu imaginación creativa para transformar la nueva creación en un pensamiento formulado, asignándole lenguaje y un nombre, desde el chakra garganta o quinto chakra.
- Cuarto, rodea tu nueva creación de un amor apasionado y de la protección del corazón, tal y como harías con un precioso bebé, deseando con todo tu corazón que crezca de forma sana. Ésta es la función de tu cuarto chakra.
- Quinto, en el chakra plexo solar, que es tu tercer chakra, comienza a establecer formas concretas para que esta creación se manifieste.
- Sexto, en el centro de poder que se encuentra debajo del ombligo, tu segundo chakra, atrae a los ayudantes y a las herramientas que necesitas para dar forma a la nueva creación.
- Y, por último, en el primer chakra, engendras o construyes tu creación en el mundo con una profunda sensación de agradecimiento por la ayuda que has recibido «desde arriba».

Como un cocreador recién despertado que eres, puedes practicar estos pasos hasta que se conviertan en algo natural con el fin de poder renacer una creación que se produce a través de ti como por arte de magia.

TU SERVICIO SÓLO CONSISTE EN «SER LO QUE ERES»

Muchas veces trabajamos con la idea equivocada de que el verdadero servicio requiere que siempre nos pongamos a nosotros en el último lugar. Y aunque eso pueda parecer que es un acto muy desprendido y generoso, vivir en un servicio desinteresado antes de convertirnos en un Yo supone una violación de la ley cósmica. Hasta que no tengas una intensa sensación de Yo, no tienes ningún Yo que entregar. Es responsabilidad tuya satisfacer las necesidades de tu personalidad y de tu alma. Esto culmina de manera natural en un servicio, ya que tu servicio consiste en «ser tu Yo». Una vez que te hayas convertido en un Yo, la etapa de «desprendimiento» se desarrolla de manera natural sin ningún pensamiento, ya que no hay ningún ego que lo pueda advertir.

El camino del conocimiento personal nunca puede aprenderse leyendo simplemente un libro. Por medio de tu propia participación consciente en la vida, tal y como has visto en estas páginas, aprendes a adaptar, a integrar y a trascender tus identidades en evolución a medida que las vas asumiendo y luego, tal y como sucede con las pieles que se han vuelto demasiado tensas, te despojas de ellas para poder expandirte. Mientras vas avanzando estarás constantemente abandonando al yo menor para alcanzar un Yo superior. Siempre habrá una parte de ti que ahora es demasiado constreñida como para contener tu Yo en expansión. El Yo debe utilizar la naturaleza de tu personalidad como la materia prima con la cual realizar la transformación. De lo contrario, no hay nada con lo que poder trabajar, no hay escoria que se pueda convertir en oro, no habrá «nada de lo que sacar provecho». Y así se lleva a cabo el proceso de convertirte en un ser pleno.

Desgraciadamente, muchas personas se ven tan atrapadas por su implicación en las actividades mundanas del mundo material que se olvidan completamente de concentrarse en la verdadera razón por la que están en esta tierra. Entonces, cuando su vida se acerca al final, se echan a llorar dominados por una amarga desesperación: «¿Esto es todo lo que hay? ¿Dónde ha ido a parar el tiempo?»

Aprender a vivir como este ser paradójico, que es a la vez humano y divino, es tu mayor realización como ser espiritual en forma humana. Esta realización proporciona un intenso sentido de la capacitación personal y la suficiente humildad como para no perder de vista al ego. Espero que este libro haya proporcionado esta verdad a tu corazón. A medida que aprendes a aceptar tanto tu vida interior como tu vida exterior como algo sagrado, y a viajar *conscientemente* a lo largo del periplo de tu vida, comienzas a lanzarte a las aventuras con la consciencia que te encuentres en tu camino. Esta forma de vida es la verdadera libertad, ya que, independientemente de lo que nos proporcione la vida, siempre puedes ver su objetivo sagrado, apreciarlo y aprender lo que puede venir de ella. Ya no juzgas las cosas como buenas o malas. La vida sólo existe. Las cosas son lo que son.

Todos podemos manifestar una vida de alegría y de realización personal si estamos dispuestos a seguir creciendo y cultivando las cualidades del alma. El secreto que completa cualquier viaje humano es éste: cuando estás dispuesto a concentrarte intencionadamente en cultivar tu propia naturaleza, todo lo demás ocupa mágicamente su lugar. Incluso cuando no te das cuenta de que esto está sucediendo, cuando permaneces fiel a tu curso, avanzas a través de la vida con una expresión única siendo un «demostrador de todo lo Divino».

LA LECCIÓN DE LA VIDA

Ponerse la capa de la afirmación personal

La clave de esta lección es despojarse de cualquier noción preconcebida acerca de quién eres y de qué puedes llegar a ser. Te están llamando para ver tu vida a la luz del Presente atemporal. Sabes que tienes el poder de curar las heridas del pasado limpiando tu cuerpo emocional y redefiniendo todo lo que te haya sucedido como un paso necesario en tu evolución. Cuando viajas interiormente, cosechas la sabiduría de la experiencia acumulada durante todos los días de tu vida terrenal. Puedes decidir que cada una de las experiencias dolorosas ha sido una lección diseñada para hacer que seas más diestro, más compasivo o más auténtico. Al reencuadrar tu pasado de esta manera aceptas todo lo que has sido y limpias el camino que conduce a tu rápido progreso hacia el futuro que nos deseas a todos nosotros.

Aceptar la capa de la afirmación personal significa que no tienes más excusas acerca de no ser el único que llegaste aquí. Todas las subpersonalidades han llegado bajo el control compasivo de tu Yo y, a través de este principio, estás llamado a permanecer firme en tu conmemoración personal. Ahora estás viviendo desde tu historia general, sabiendo que estás participando en un drama divino de consciencia en el cual interpretas un papel esencial. Cuando aceptas la capa de la afirmación personal, tu biografía humana se fusionará en la historia general de la humanidad que se está desplegando y sentirás que eres una parte intrínseca de la comunidad humana. Ya nunca más te tomarás las cosas de forma tan personal. Y esto liberará a tu cuerpo emocional de cualquier duda personal que todavía mantengas.

Ahora estás llamado a emprender tus asuntos justo en la intersección entre tus asuntos humanos ordinarios y el omnipresente Presente de lo Divino. A diario te mueves arriba y abajo a lo largo de este eje vertical de consciencia: algunas veces sumergiéndote para empujar algo hacia arriba desde tu mente consciente para que se pueda reconocer y sanar algo; otras veces elevándote en el cielo despejado de éxtasis y visión espiritual. Descender para coger alguna parte perdida de ti mismo es una tarea tan sagrada como elevarse a las alturas. Todo el trabajo interior amplía tu integración y tu expansión.

LA PRÁCTICA

Convertirse en un demostrador de lo Divino

Un ejercicio de imaginación guiada

Cuando éramos pequeños, todavía manteníamos nuestra conexión cósmica con el Espíritu. Pero a medida que crecemos y entramos plenamente en las tareas cotidianas, nuestra memoria cósmica comienza a difuminarse. Cuando la realidad ordinaria parece ser todo lo que hay y aquellos acontecimientos del alma durante los cuales todo brilla con Espíritu parecen ser poco y lejanos, puede que necesites algo que te ayude a recordar tu superior identidad y tu verdadera historia. Cada vez que sientes la necesidad de recordarte a ti mismo quién eres en tu plenitud, puedes utilizar este sencillo ejercicio para eliminar cualquier duda o sensación de limitación:

Cierra los ojos e imagina que estás sentado al aire libre bajo un cielo cubierto de estrellas… Siente cómo la brisa de la noche acaricia tus mejillas y relájate entrando en un estado de satisfacción pacífica… Tómate el tiempo que necesites para imaginarte a ti mismo completamente sumido en esta escena…

A continuación, concéntrate en una estrella en particular del cielo azul índigo e imagina que es tan brillante que puedes estirarte y tocarla... Observa cómo esta estrella se vuelve cada vez más brillante y comienza a moverse hacia ti... A medida que se acerca, envolviéndote en rayos de amor, observa que la estrella es realmente tu propio Yo divino, el ser plenamente realizado que es el fruto de todo el duro trabajo que has realizado en este viaje sagrado...

A continuación, esta Estrella-Yo se está fundiendo contigo e infundiéndote de luz... Y observas el mundo en el que habitas a través de una nueva mirada...

Unido a la luz de la Estrella-Yo que eres, puedes ver fácilmente la obra y el objetivo sagrado de tu vida... Observas cuál es tu papel en el Plan Divino que se despliega ante ti..., y comprendes el papel que tienes que representar para ayudar a que la humanidad florezca en este momento en particular de la historia humana... Imagina que ahora, con todo tu poder..., tu visión incluso te permite ver la humanidad en pleno florecimiento...

A continuación, simplemente deja que esta imagen te lleve allá donde pueda durante un instante... Ponte la capa de tu verdadera misión y del verdadero objetivo que te ha llevado a estar encarnado aquí, en la tierra... Tómate el tiempo que sea necesario para fijar este conocimiento en tu mente y en tu corazón...

Cuando sientas que regresas a la realidad ordinaria, tómate un tiempo para anotar en tu diario aquello que hayas visto.

Después, en tu mente, sitúate en un «punto cero» y elimina de tu consciencia todas las dudas que tengas de ti mismo. La duda es la barrera final que debes cruzar antes de poder regresar a casa con tu Yo. Ya no es necesario que lleves contigo los viejos apegos mentales. Ningún bloqueo o pensamiento negativo puede encontrarse en el camino de tu realización como alma humana. No olvides nunca que, sea cual sea lo que te suceda, eres un demostrador de lo Divino. El pleno florecimiento de la humanidad depende de ti, y también de todos los compañeros de viaje que tengas aquí, en el planeta Tierra.

18

EL VIAJE ES NUESTRO HOGAR

La gente está acostumbrada a pensar que cualquier cosa que sea superior
a ellos tiene que ser un ser divino —es decir,
sin un cuerpo— que aparece en un rayo de luz.
En otras palabras, son los dioses tal y como se han concebido.
Pero no es del todo así; se está formando
una nueva forma de pensar. Y el cuerpo está aprendiendo sus lecciones:
todo cuerpos, todo cuerpos.

LA MADRE

EN EL CAPÍTULO FINAL me gustaría recordarte nuestra historia en general, analizar en su justa perspectiva todo lo que concierne a nuestras pequeñas vidas individuales y prepararte a proceder con gracia a lo largo de todo el camino.

Ya te has familiarizado con los Principios del Yo que gobiernan tu viaje. A medida que avanzas más allá del estudio de este libro, para ti será un deleite vivir con ellos, descubrirás que funcionan como «pensamientos semilla» que echan raíces y se convierten en tus propias ideas cada vez que los necesitas. Cuando aplicas estos Principios a tu vida diaria, descubrirás que empiezas a crecer en tu estatura espiritual y en tu salud psicológica. Ellos aceptan, en verdad, tu naturaleza híbrida humana/divina y te permiten mantenerte «en el candelero».

Actualmente, muchas personas creen que tenemos que rechazar nuestra humanidad para ser espirituales: elevarnos completamente por encima de esta vida terrenal y disolvernos en la luz. Hay una serie de caminos espirituales que nos enseñan a trabajar duro para abandonar nuestros cuerpos con el fin de poder ser «sólo espirituales». Ésta es una peligrosa malinterpretación que nos lleva exactamente hacia la dirección opuesta para que el Espíritu se manifieste en una forma concreta. Ya somos la luz. Estamos ahora aquí para *encarnar* el Espíritu, para que nuestra naturaleza de Dios adopte una forma completamente humana y entre en una existencia física. Tratar de elevarse y salir de nuestra naturaleza humana, como si fuera algo malo o equivocado, es una blasfemia hacia nuestro Dios Creador. Viola el objetivo sagrado de la humanidad por el cual hemos venido a la Tierra. ¡Supone que somos el error de Dios!

En lugar de concentrarnos en abandonar la vida, estamos llamados a vivir la vida en toda su plenitud mientras estamos aquí con nuestro cuerpo humano. Y a medida que avanzamos en nuestro viaje aprendemos lo bueno, lo malo, lo correcto, lo equivocado: todas las dualidades se convierten en esta «tercera cosa más elevada», la singularidad que incorpora y sana todas las divisiones que hay en nuestro interior. Entonces, a través de este profundo trabajo interior psicoespiritual, la trascendencia tiene lugar de manera natural, sin que nada se quede sin integrar.

Como consciencia, somos el proceso evolutivo en sí. Y como somos infinitos, seres eternos, el viaje nunca tiene final, así que no hay ningún lugar al que «llegar». El viaje en sí es nuestro hogar, es el lugar donde vivimos, nos movemos y tenemos nuestra existencia. Actualmente, existe una transformación dual que se está produciendo aquí, en el planeta Tierra. Tanto el cuerpo como la consciencia de la humanidad están colocando una muesca más en la escalera de la evolución. Esto significa que la estructura celular humana, así como nuestra mente y nuestro corazón, están cambiando, literalmente, de forma. Y nosotros mismos somos la nueva creación.

Tu objetivo sagrado es el mismo que el de todo el mundo que vive en un cuerpo humano: todos tenemos que participar completamente en nuestra humanidad y aportar conductas del Espíritu a cada una de las partes de esta vida humana. Una vez que completamos la experiencia humana, volveremos a ser principiantes, participando plenamente en todo lo que viene a continuación. Seguir este sorprendente misterio de la creación es la aventura más emocionante en consciencia que podríamos llegar a imaginar. ¿Quién podría idear una «altura» superior?

A través de esto, nuestra propia historia de la creación, nos estamos desarrollando en un nuevo Yo, en un ser que es capaz de adaptarse a las nuevas condiciones que hay aquí. Y la nueva tónica para la humanidad, si nuestra especie quiere sobrevivir, es la «unidad en la diversidad». Nos permite mantener nuestra singularidad individual al mismo tiempo que recordamos que somos uno solo. Medita sobre estas palabras y advertirás que vivir siguiendo esta máxima completamente integradora no sólo nos sanará, sino que sanará a nuestro mundo y hará que se acaben todas las guerras.

Al convertirte en tu nuevo Yo estás ayudando en la iniciación sagrada del singular Alma de la Humanidad. Ésa es la «Gran Obra» de despliegue humano del cual hablaban los alquimistas de la antigüedad. Vivir tu vida ordinaria con este sentido de objetivo supremo expande tu consciencia y te permite liberarte con mayor prontitud de cualquier conducta disfuncional que esté bloqueando tu desarrollo. Como un trabajador planetario al servicio de tu Creador, ¿por qué ibas a querer vivir como un ser inferior del que eres? Cuando avanzas en tu viaje no sólo estás creando nuevas habilidades que te ayudan a vivir, sino que estás transformándote a ti mismo en un nuevo ser pleno.

Sin embargo, nunca debes verte atrapado a intentar llegar. Ya que, independientemente del lugar donde te encuentres en un momento dado, no hay ningún lugar al que ir, ya que sólo hay alguien quien ser.

TU VERDADERA VOCACIÓN ES LA MATERIALIZACIÓN DEL ESPÍRITU

Nuestro creador *espiritualiza la materia*. Como descendientes de Dios que somos, estamos aquí para *materializar el Espíritu*. Somos los cocreadores de Dios que están encarnados, no para abandonar el reino humano que todavía está a medio hacer, sino para finalizarlo. Por tanto, ser plenamente humano es el acto más sagrado que podemos llegar a hacer. Y vaya tarea más misteriosa es ésa. Todavía no tenemos la menor idea de lo que seremos una vez que el reino humano tenga una naturaleza perfecta. Quizás ese momento llegará cuando llevemos el cielo a la Tierra. Qué bendición supone participar en un acontecimiento tan cósmico.

Retrocedamos un momento: existen cuatro reinos en la naturaleza. Los reinos animal, vegetal y mineral se encuentran ante nosotros y ya se han completado. La especie humana es el cuarto reino que llegó a la naturaleza cuando la psique humana nació: cuando nos dieron la mente y el corazón que pueden emocionarse, pensar, planear, soñar y cocrear. No tienes más que mirar la obra de Dios en los diamantes, en los cristales, en los aminoácidos, en las frutas, en las verduras, en las flores, en las plantas medicinales y en la belleza perfecta de las diversas especies animales. ¿Quién no ha sido consciente de que los gatos son verdaderos dioses? (¡No tienes más que preguntar a uno!)

Hemos asimilado los tres reinos que se encuentran debajo de nosotros. Estos reinos nos permiten prosperar en nuestro cuerpo animal. Ahora estamos avanzando en la evolución manifestando el Espíritu en la forma humana. Pero nosotros, los seres humanos, todavía estamos en proceso de creación. Una vez que alcanzamos el Camino que nos sirve de modelo siendo tan grandes como Cristo o Buda, todavía tenemos una manera de proceder. Una vez que nuestros cuerpos emocionales se purifican y que nuestra mente se vuelve clara, seremos de manera natural ese Yo único y perfecto que cada uno de nosotros está llamado a ser. Y cuando todos hagamos esto, nuestra especie habrá fructificado.

No debes olvidar nunca que, como hijo de Dios, llevas contigo la semilla de la creación. Y esta semilla, ahora lo sabes, es el Yo: tu retrato singular del Yo arquetípico, del proyecto humano. Nunca debemos tratar de ser criaturas indefensas que confían en Dios para que cuide de nosotros. Nuestra tarea consiste en vivir como cocreadores conscientes y nadie puede hacer tu trabajo por ti. A medida que vas legitimando tu propio Yo —*creyendo en él y dejándole que se exprese a través de ti*— comenzarás a ver que todo lo que está relacionado contigo que no es obra del Espíritu comenzará a desaparecer. Simplemente perderás el interés por todas esas cosas. Así es como funciona la consciencia, porque una vez que haces que algo sea consciente, resulta muy difícil dejar de ser inconsciente de ello. Volverse consciente acaba absolutamente con tu capacidad para disfrutar abusando del alcohol, de las drogas, de las personas o de los procesos que hay en la Tierra.

Como cocreadores, una vez que nos volvemos conscientes veremos que nuestros egos necesitan disciplina, mientras que lo único que necesita el alma es expresarse. Para ajustar el ego correctamente y curarlo de cualquier herida que haya acumulado a lo largo de su desarrollo, necesitamos llevar a cabo una práctica diaria que nos mantenga en el camino adecuado. Al igual que las piezas de un rompecabezas, todos tenemos que realizar una tarea para crear la imagen completa de una humanidad espiritual. Cuando no somos capaces de encajar nuestra pieza o tratamos de apoyarnos en la pieza de otra persona, el rompecabezas presenta un agujero o una protuberancia en él que arruina toda la imagen.

TU PROPIA EVOLUCIÓN PERSONAL

Así pues, ahora debes aplicar este proceso cósmico superior a tu propia vida personal. También te darás cuenta de que todavía te encuentras en el proceso de volverte pleno. Aceptarte a ti mismo en el punto del viaje en el que te encuentras es otro componente vital en la sanación de tu psique. Te permite eliminar la vergüenza y la culpabilidad que te producen los errores cometidos o lo problemas que te has encontrado a lo largo de nuestro camino.

Para materializar el espíritu —piensa en ello—, ¿qué aspecto deberías tener? Eso supondría que todo en lo que participes está imbuido de la esencia del Espíritu. Y ahí es donde entra en juego tu alma. Cuando aportamos la esencia de nuestra alma a todas nuestras actividades, estamos cumpliendo nuestro objetivo aquí, en la Tierra. No olvides que tu alma es el puente que une el espíritu y la materia y *sólo tiene cualidades informales*. La naturaleza de tu alma es ligera, que es la plena verdad de cualquier cosa que se ve con claridad: es inocencia, belleza, bondad, alegría, compasión, y todos tus sentimientos más sinceros: amor, espontaneidad, asombro infantil, sensualidad intensificada, inspiración y deleite. Simplemente observa a un niño de tres años; cuando se le permite ser natural, un niño pequeño nos demuestra cómo se comporta el alma que no está contaminada en un cuerpo humano. «A menos que no te conviertas en un niño, no podrás entrar a reino de los cielos». «Y un niño pequeño los guiará a ellos.»

TU YO ASCENDENTE/DESCENDENTE

Para materializar el espíritu, en este mundo tenemos que pasar por una serie de experiencias, asumirlas completamente en la vida exterior y vivirlas hasta el final con nuestros ojos completamente abiertos: descendemos conscientemente en la materia. A continuación, partimos y ascendemos mirando en nuestro interior para evaluar e integrar todo aquello que hemos aprendido. ¿Qué cosas eran bondadosas y condujeron a algo positivo? ¿Qué cosas eran dañinas y no funcionaron? En este proceso evaluamos, corregimos, refinamos y practicamos aquello que hemos aprendido. A través de este proceso de reflexión personal desarrollamos la cualidad de discriminación espiritual y asumimos la responsabilidad por las decisiones que tomamos.

La cuestión que siempre será más complicada es: «¿Cuánto debo asumir antes de liberarme de mi apego hacia ello?» Se está conteniendo «demasiada cantidad» en cosas terrenales que van más allá de su utilidad. Una vez conocida en su totalidad, la experiencia se convierte en algo negativo si permanecemos apegados. En eso consiste la adicción: en tener algo demasiado. Sin embargo, tampoco basta con tener algo «demasiado poco». Entonces, dejamos atrás algo que todavía no se ha conocido ni integrado. Y te garantizo que regresará una y otra vez *ad nauseum* hasta que aprendamos la lección. Tu Yo exige que haya una conclusión.

Permanecer en sintonía con tu objetivo sagrado durante tantas horas del día como sea posible te permite liberarte de lo que ya ha acabado y penetrar en lo nuevo con la confianza de tu verdadero Yo. Al igual que el Yo, serás capaz de encontrar el momento adecuado en el que te tienes que ir y el momento adecuado en el que te tienes que quedar, y transformar todo aquello que hayas asumido en algo que sea positivo y tenga un propósito. Siempre puedes saber cuándo ha finalizado algo —ya sea un hábito, una relación, la elección de una profesión, un punto geográfico—, porque sentirás que ha muerto. Ese sentimiento de fallecimiento indica que el alma se ha aburrido y ha abandonado. Has recopilado y entregado todo lo que era positivo en esa experiencia. Por tanto, tu tarea consistirá en desprenderte de ello con amor y gratitud por todo lo que esa experiencia te ha aportado. De ese modo, eres libre para seguir avanzando hacia la siguiente atracción. Permanece en contacto con la dicha de tu alma y, de ese modo, permanecerás en tu camino.

LA SANACIÓN DEL CUERPO EMOCIONAL PURIFICA TUS PASIONES

Tus pasiones e intereses intensos se convierten en tu dicha cuando dan lugar a la verdad; especialmente para ti, que eres la musa del alma. Pero debe ser tu *verdadera* pasión y no una serie de sustitutos o de distracciones artificiales o temporales hacia los que el ego se siente atraído. Estas compulsiones o adicciones insanas son simplemente los juicios humanos por los que tenemos que pasar a medida que «limpiamos nuestros actos» y avanzamos por el camino que conduce a nuestra completa revelación.

Todos tenemos heridas y distorsiones en la naturaleza de nuestro ego. Así que esperamos poder perdonarnos a nosotros mismos y a los demás, con verdadera compasión, a medida que avanzamos en nuestra sanación plena. Es del todo evidente que ya no podemos vivir como simples egos que combaten entre sí para conseguir satisfacer cualquier necesidad egoísta. Con ello, no sólo nos destruye a ti y a mí, sino que acabará por destruir a este mundo.

Todo dolor y todo sufrimiento que padecemos aquí es la incapacidad del alma para expresarse. Ese agujero que sientes en mitad del estómago verdaderamente es *todo un grito para expresarse;* es tu alma que tiene necesidad de expresar tus verdaderos deseos. Como cocreadores que somos, gozamos de libre albedrío. Por tanto, nuestra tarea consiste en aportar compasión y perdón a todas nuestras actividades y relaciones. La vergüenza y la culpabilidad se convertirán en aceptación personal y en agradecimiento por todo lo que has aprendido y por todas aquellas personas que te han ayudado. Observarás que algunas veces tus peores adversarios eran tus mejores maestros. Así que todo es perdonado, incluso el abuso. ¡Y qué libertad proporciona esto!

No perdonar va en detrimento de nuestro bienestar espiritual y también de nuestra salud física. Produce una potente mezcla de factores de estrés como la amargura, el odio, la hostilidad, la ira, el resentimiento y el temor a que nos vuelvan a hacer daño. Los estudios han demostrado que tanto la beligerancia como la desesperación serena ponen en peligro nuestro corazón. Ahora sabemos que la depresión y los problemas de corazón están asociados. Las personas que tienen el corazón roto presentan un índice de mortalidad que es dos veces superior al de los supervivientes de un ataque al corazón [12].

Cuando vivimos expresando nuestra propia naturaleza, llegamos a comprender que el objetivo de nuestra experiencia humana es permitir al alma brillar a través de nuestra existencia física en todo lo que hacemos, para que la alegría celestial y el placer terrenal se puedan sentir como una sola cosa.

EL INTERIOR Y EL EXTERIOR SON UNA SOLA VIDA

A medida que avanzamos conscientemente a lo largo del camino de la experiencia directa aprendemos a aceptar lo interno y lo externo, lo claro y lo oscuro, los aspectos divinos y humanos de nuestra naturaleza como una sola cosa.

Sólo una psicología espiritual que tiene en consideración nuestra naturaleza como seres humanos y divinos puede ayudarnos a evocar lo positivo y lo posible en nuestro interior. De lo contrario, estaremos atrapados en el dominio del ego y a una definición limitada. Cuando se juntan, el ego dirigido exteriormente y el alma dirigida interiormente dan lugar al Yo en su plena y gloriosa expresión. No olvides jamás que eres todo esto.

Siempre puedes saber cómo avanza tu vida espiritual interior examinando tu vida exterior. ¿Cómo marchan tus relaciones? ¿Estás expresando la verdadera obra de tu vida? ¿Estás cubierto por cosas que no son esenciales? ¿Los demás te tratan con respeto y agradecimiento por tu presencia en su vida? ¿Eres autosuficiente o todavía dependes de los demás para poder sentirte bien? ¿Aportas amor y aceptación a todas las cosas en las que participas? ¿Tus emociones están equilibradas o todavía tienes demasiados arrebatos, pensamientos fanáticos o demasiadas dudas en ti mismo, necesidades o depresiones?

VIVIR COMO TU YO SUPERIOR SE CONVIERTE EN TU PRÁCTICA ESPIRITUAL

Verte atrapado en las condiciones no redimidas de la humanidad ha sido la parte más peliaguda de nuestra tarea. Todos nosotros nos encontramos en el proceso de apartarnos de nuestras condiciones y de recordar quiénes somos verdaderamente. Ya es suficiente. Ha llegado la hora de que nos despojemos del dominio que nuestro condicionamiento pasado tiene en nosotros y tratar de vivir en el momento presente como nuestro verdadero Yo. Tu verdadero Yo está esperando a que reconozcas la persona que estás llamado a ser. Cuando ya no estás identificado como «ese ser con todos sus problemas», tus dificultades comenzarán a desaparecer como por arte de magia. La vida en la Tierra siempre estará llena de penalidades y de dolor. Sin embargo, las lentes que llevamos mientras experimentamos esta vida marcan la diferencia en el modo en el que vivimos a través de estas aflicciones humanas naturales. Vivir como tu verdadero Yo es tu recuperación definitiva.

Tu disposición a permitir que tu Yo Observador te mantenga consciente te llevará muy lejos y lo hará de una forma acelerada. Vivir en dos mundos a la vez —tanto como Experimentador como Observador— es tu naturaleza híbrida de espíritu y materia en pleno funcionamiento. Observar la vida desde la barrera mientras al mismo tiempo te encuentras en el campo de juego no sólo conduce a la pasividad, sino a nuevas formas de existencia. Tu derecho de nacimiento es recordar que eres el verdadero Yo y no sólo una persona que se siente herida, y no debes olvidar por qué al principio apareciste en un cuerpo físico. Tu tarea consiste en «comer el pan de este mundo mientras realizas la tarea que se ha encomendado a este mundo», tal y como nos recuerda algún viejo poema sufí. Tu tarea consiste en mantener en equilibrio estos dos estados de existencia.

Levántate cada mañana, sal a la calle, mira hacia el Sol que se eleva por el cielo, y afirma: «Hoy estoy dispuesto a realizar la tarea del Espíritu». A continuación, deja que tu día se despliegue con tu Yo Observador sentado serenamente sobre tu hombro, advirtiendo todo lo que haces mientras lo llevas a cabo. Mantén tu «librito» cerca de ti para poder anotar cualquier molestia emocional que experimentes a lo largo del día, procesándolas para que sólo tus ojos las puedan ver. Acuéstate cada noche recompensando al día que has pasado, para asegurarte de que has completado todo aquello que sientas que no ha finalizado. Y recurre a tu Guía interior para que te proporcione un gran sueño, para así poder viajar a lo largo de un terreno más amplio donde viva tu alma y esté al servicio del Espíritu en el mundo de la noche.

Si sólo haces esto, verás que te has convertido en el cocreador consciente que siempre has sido, pero quizás no te has dado completamente cuenta de ello. El Yo, nuestra alma humana, en este momento se está encarnando de forma rápida, deseando únicamente una cosa: manifestarse de manera concreta a través de nosotros como seres humanos completados.

* * *

Y así termina este cuento que habla de un viaje sagrado a través de nuestra revelación humana. ¿O acaso no es más que el giro de la rueda del Destino, un nuevo comienzo en tu aventura interminable como consciencia?

APÉNDICE 1

Información de interés y ejemplos de métodos transformacionales de sanación y de renovación espiritual

A LGUNOS DE ESTOS PROCESOS psicoespirituales puedes realizarlos por ti mismo. Otros se ofrecen en talleres y en retiros espirituales a lo largo de toda Norteamérica:

- Leer libros sobre cómo vivir en la verdad que se dirijan directamente al alma.
- Entonar cánticos.
- Los círculos del tambor.
- Los trabajos de respiración.
- El yoga: hatha (físico), bhakti (emocional) o raja (mental).
- La contemplación para leer poesía.
- El movimiento y el baile sagrado.
- Las ceremonias y los rituales.
- Las saunas ceremoniales.
- Caminar por el laberinto.
- Los tratamientos de acupuntura.
- Varias formas de masaje y de trabajo corporal.
- El análisis jungiano en profundidad.
- Las obras de arte simbólicas.
- El trabajo con los sueños.
- La oración centralizadora.
- La hipnosis exploradora.

- Crear un espacio sagrado para que se produzcan estados místicos espontáneos.
- Ritos de pasaje.

A medida que avanzas a lo largo de tu viaje sanador, comenzarás a escuchar más a la voz de tu alma. Ésta te guiará allá donde necesites estar en cada momento de tu viaje. Pero aprender a confiar escuchando a tu propia alma, en lugar de dejar que los demás te digan qué es lo que tienes que hacer, es un proceso en sí mismo que requiere práctica y convalidación. Tendrás que familiarizarte con el modo en el que tu alma te habla.

PARA MÁS INFORMACIÓN

Para solicitar consejos sobre dónde puedes encontrar métodos psicoespirituales de trabajo interior, puedes ponerte en contacto con nosotros en el Instituto Eupsichya. Hay demasiados como para citarlos aquí. Ponte en contacto con nosotros en: Eupsychia Institute, P.O. Box 151960, Austin, TX 78715; (800) 546-2795; (512) 327-2795; correo electrónico: eupsychia@austin.rr.com o visita nuestra página web en www.eupsychia.com.

Jacquelyn siempre está dispuesta a responderte a través del correo electrónico. Puedes escribirla a la dirección jacquie@austin.rr.com. A ella le encanta escuchar a sus lectores.

NOTAS

1. Gareth Knight, *A Practical Guide to Qabalistic Symbolism*, vol. 2 (York Beach, Maine: Samuel Weiser, Inc., 1965), 8-10.
2. Candace B. Pert, *Molecules of Emotion: The Sciencie Behind Mind-Body Medicine* (Nueva York: Scribner, 1997).
3. Véase Paul H. Ray y Sherry Ruth Anderson, *The Cultural Creatives* (Nueva York: Three Rivers Press, 2000), y Richard Florida, *The Rose of the Creative Class* (Nueva York: Basic Books, 2002).
4. Véanse las obras de los físicos modernos Fred Alan Wolf y Fritjof Capra; de los investigadores de la consciencia Charles Tart, Candace Pert y Michael Talbot; y de los pioneros de la medicina integradora Larry Dossey, Christiane Northup y Andrew Weil, por nombrar sólo a unos cuantos.
5. Véanse los trabajos de Roberto Assiagiolo en el área de la Psicosíntesis.
6. En el libro de la autora, *Transformers: The Therapists of the Future*, los siete niveles de consciencia se comparan en profundidad con el sistema de meridianos de los chakras hindúes que se encuentran a lo largo del cuerpo humano.
7. Robert Lee Hortz, «Music Changes Links in the Brain», *Los Angeles Times*, 13 de diciembre de 2002 (estudio extraído de la Universidad de Wisconsin, de la Universidad de Ohio y del Dartmouth College, tal y como se ha publicado en *Science*). Véase también Joseph J. Moreno, «Ethnomusic Therapy: An Interdisciplinary Approach to Music and Healing», *The Arts in Psychotherapy*, 22, número 5 (1995). Véase también la página de Johnathan Goldman, *Healing Sounds, a Spectrum Interview*, por Rick Martin, en www.healingsounds.com.
8. Candace B. Pert, «Molecules and Choice», *Shift* (la revista del Instituto de Ciencias Neóticas), número 4, septiembre-noviembre de 2004, páginas 20-24.

9. T. T. Gorski, «Relapse Prevention in the Managed Care Enviroment», GORSKI-CENAPS. 2001 http://www.tgorski.com/gorski_articles/relapse_prevention_in_managed_care_enviroment_0106010.htm. Instituto Nacional sobre el Abuso del Alcohol y el Alcoholismo (1989), «Relapse and Craving», *Alcohol Alert*, 6, http://www.niaa.nih.gov/publications/aa06.htm (accedido el 7 de julio de 2004). J. M. Polich; D. J. Armor, y H. B. Braiker, «Stability and Change in Drinking Patterns», en *The Course of Alcoholism: Tour Years After Treatment* (Nueva York: John Wiley & Sons, 1981), 159-200.

10. Véase Candace B. Pert, *Molecules of Emotion*.

11. Los científicos y los académicos de la película «What the ?!*#? Do We Know» (Samual Goldwin, 2004) explican con detalle cómo nuestras emociones están moldeadas y modificadas bioquímicamente por nuestras creencias acerca de la realidad. Cuando se cura una emoción, los neuropéptidos y las células receptoras se vuelven a poner en orden.

12. Herbert Benson, Instituto Médico de la Mente y el Cuerpo, Boston, MA. Descubrimientos citados en *Newsweek Magazine*, septiembre de 2004.

ACERCA DE LA AUTORA

J ACQUELYN SMALL es licenciada Phi Beta Kapa por la Universidad de Texas, en Austin, y posee títulos en Trabajo Social Clínico, Psicología y Música Aplicada. Dirige varios talleres y conferencias a lo largo de los Estados Unidos sobre métodos psicoespirituales para sanar y superar una adicción. Es una pionera en los campos de la consciencia humana y de la psicología de nuevo paradigma, y ha escrito ocho libros sobre transformación personal, entre los que se incluyen los clásicos *Becoming Naturally Therapeutic* y *Awakening in Time*. Jacquelyn es la antigua directora de Formación Clínica de la Comisión sobre Alcoholismo y Consumo de Drogas de Texas y ha trabajado como facultativa externa del Instituto de Psicología Interpersonal de Stanford, en California. Su organización sin ánimo de lucro, el Instituto Eupsychia, es un centro nacional de sanación y preparación dedicado a unir la psicología tradicional con la transformacional. El Instituto Eupsychia certifica a estudiantes en Psicología Basada en el Alma y en Respiración Integradora.

Para encontrar más información sobre los talleres, retiros curativos y programa de certificación de Jacquelyn, visita su página web, www.eupsychia.com, o ponte en contacto con ella en Eupsychia, P.O. Box 151960, Austin TX, 78715; (800) 546-2795; (512) 327-2795. Correo de Jacquelyn jacquie@austin.rr.com o eupsychia @austin.rr.com.

ABIERTOS AL DESEO
Abrazando el deseo de vivir
Mark Epstein

Mark Epstein muestra cómo el deseo puede ser un maestro por derecho propio, ayudándonos a reconciliar nuestros pensamientos contradictorios acerca del deseo desde el punto de vista de la psicología y del budismo. Tanto en el budismo como en el psicoanálisis freudiano es común tratar al deseo como la raíz de todos los problemas y sufrimientos; sin embargo, el psiquiatra Mark Epstein cree que estos es un grave malentendido. En su defensa del deseo deja claro que es la clave para profundizar en la intimidad con nosotros mismos, con otras personas y con nuestro mundo.

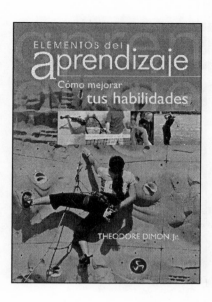

ELEMENTOS DE APRENDIZAJE
Cómo mejorar tus habilidades
Theodore Dimon Jr.

Esta obra va dirigida a «enseñar a aprender», basándose en la atención y en el control de la acción para saber practicar con inteligencia, lo que es un arte en sí mismo. Aprender no se basa ni en la práctica en sí ni en formulaciones mecánicas, sino en cómo se piensa y en la comprensión correcta de lo que se está realizando. A ello esta dirigida la presente obra, describe los principios que pueden ayudar tanto a niños como a adultos a sobreponerse a las dificultades de hábitos en el aprendizaje, a veces, incluso dañinos; y a conseguir abordar la práctica de una actividad, más que con la persistencia, con la conciencia y el control mental.

EL VIAJE
Guía práctica para sanar tu vida y liberarte
Brandon Bays

Todos albergamos problemas que nos hacen sentirnos atrapados o abrumados, bien sea por una adicción, por una enfermedad grave o por un contratiempo sentimental o económico.

Deseo que el presente libro sea para ti un despertar, y que todas las inspiradoras historias de autodescubrimiento enciendan una llama de deseo en tu corazón, te hagan emprender tu propio viaje espiritual y apoyen cualquiera de los caminos que elijas. Ojalá llegues a descubrir la presencia del amor, tu propio ser verdadero, y vivas como expresión real de libertad.

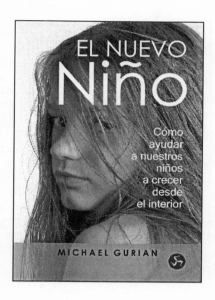

EL NUEVO NIÑO

Cómo ayudar a nuestros niños a crecer desde el interior

Michael Gurian

Mediante sus obras *The Wonder of Girls* y *The Wonder of Boys*, ambas grandes éxitos de ventas, Michael Gurian dio a conocer sus novedosos y originales puntos de vista para lograr una fructífera educación de nuestros hijos. Ahora, con la misma amplitud de miras y con el mismo ferviente compromiso, pone a nuestra disposición un diseño práctico para conseguir un elevado desarrollo de sus almas. El nuevo niño nos brinda los pasos —científicamente debatidos— que Michael Gurian nos recomienda seguir para dispensar unos cuidados más idóneos al alma de nuestros hijos e hijas.

Si deseas recibir información gratuita sobre nuestras novedades

- Llámanos

  o

- Manda un fax

  o

- Manda un e-mail

  o

- Escribe

  o

- Recorta y envía esta página a:

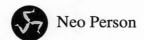 Neo Person

C/ Alquimia, 6
28933 Móstoles (Madrid)
Tel.: 91 614 53 46 - Fax: 91 618 40 12
E-mail: contactos@alfaomega.es - www.alfaomega.es

Nombre: ....

Primer apellido: ....

Segundo apellido: ....

Domicilio: ....

Código Postal: ....

Población: ....

País: ....

Teléfono: ....

Fax: ....

E-mail: ....